A VIDA E O TEMPO
em tom de conversa
ஐ

CARLOS EDUARDO FALCÃO UCHÔA

A VIDA E O TEMPO
em tom de conversa

&

CRÔNICAS DE UM
PROFESSOR DE LINGUAGEM

© 2013, by Carlos Eduardo Falcão Uchôa

Odisseia Editorial® é marca registrada da
LEXIKON EDITORA DIGITAL.

Direitos de edição da obra em língua portuguesa adquiridos pela LEXIKON EDITORA DIGITAL LTDA. Todos os direitos reservados. Nenhuma parte desta obra pode ser apropriada e estocada em sistema de banco de dados ou processo similar, em qualquer forma ou meio, seja eletrônico, de fotocópia, gravação etc., sem a permissão do detentor do copirraite.

LEXIKON EDITORA DIGITAL LTDA.
Rua da Assembleia, 92/3º andar – Centro
20011-000 Rio de Janeiro – RJ – Brasil
Tel.: (21) 2526-6800 – Fax: (21) 2526-6824
www.lexikon.com.br – sac@lexikon.com.br

DIRETOR EDITORIAL Carlos Augusto Lacerda	REVISÃO Fernanda Mello
PRODUÇÃO EDITORIAL Sonia Hey	DIAGRAMAÇÃO Abreu's System
ASSISTENTE DE PRODUÇÃO Fernanda Carvalho	CAPA Luis Saguar

CIP-BRASIL. CATALOGAÇÃO NA PUBLICAÇÃO
SINDICATO NACIONAL DOS EDITORES DE LIVROS, RJ

U19v

Uchôa, Carlos Eduardo Falcão,
A vida e o tempo em tom de conversa: crônicas de um professor de linguagem / Carlos Eduardo Falcão Uchôa. – 1. ed. – Rio de Janeiro: Odisseia, 2013.

232 p.; 19 cm.

ISBN 9788562948169

1. Crônica brasileira. I. Título.

CDD: 869.98
CDU: 821.134.3(81)-8

Para Celeste, companheira constante e atenta, sempre, de uma longa jornada, nesta minha nova etapa, a do escrevinhar diferente.

Sem mais nada para contar, lanço um último olhar fora de mim, onde vivem os assuntos que merecem uma crônica.

FERNANDO SABINO

O que me dá medo é o de chegar, por falta de assunto, à autorrevelação, mesmo à minha revelia.

CLARICE LISPECTOR

Apresentação

O autor deste livro é professor de Linguística talvez por isso este livro pode, à primeira vista, causar um certo estranhamento ao leitor que conhece a brilhante atuação do autor nesse campo. Um livro de crônicas? Escrito por um linguista? Nesta nossa época de superespecializações? Estranho... Mas lembremo-nos de que, na verdade, este livro não se afasta tanto quanto poderia parecer da especialidade do autor. Não nos esqueçamos de que a expressão da linguagem é submissa ao tempo, às situações de vida, às emoções dos falantes e à sensibilidade do observador. É isto que o leitor encontrará nas páginas deste livro: uma fina sensibilidade que registra, com a emoção de olhos atentos, "em tom de conversa", a realidade que o abraça. Essa sensibilidade percorre todas as páginas do livro. É o que leva o autor a saber ver o que está sob a superfície do outro e emocionar-se com isso, a reconhecer o sentimento que lhe permitirá descobrir como a vida, os homens e o mundo podem ser iluminados por uma claridade nova, acolhedora como um abraço de afeto. "O essencial é saber ver", como já dizia o poeta Fernando Pessoa na voz de Alberto Caeiro; é dizer o mundo que vê de um modo "nítido como um girassol", desatando, nesse dizer, os apertados laços de que se veste a norma culta da língua, arejando o texto com a brisa fresca de uma linguagem desataviada que une nós todos – os ditos cultos e os não tão cultos – na mesma fala, na mesma humanidade.

O título e o subtítulo do livro já trazem, na visão de mundo que exibem, uma como que definição, quase uma profissão de fé: tudo o que será dito sobre a vida e o tempo, o será "em tom de conversa". Cansado da sisudez da linguagem ensaística, o narrador sente necessidade de livrar sua escrita do peso da armadura da norma culta; quer registrar, "em tom de conversa", em outro gênero não agrilhoado a normas restritivas – a crônica –, o trivial da vida que o cerca, o que Cronos lhe diz nos vários momentos, nos vários rostos à sua volta; quer deixar bem claro que está atento à paisagem humana que o rodeia; quer deixar perceber que ela o chama e o envolve, e que ele sente necessidade de responder a esse apelo, de dizer da emoção que o invade, quando, atento ao outro, ele próprio se insere na paisagem humana que se desdobra diante dos seus olhos. Por isso vai escrever crônicas numa linguagem "sem solavancos", com leveza de estilo, envolvida com pitadas de humor. Crônica, diz o narrador, deve ser como um prato-feito, "bom e caseiro": a crônica é do mundo de todo mundo e não de uma fatia intelectualizada do mundo. E o narrador, que orgulhosamente se confessa "professor", usuário da norma culta da língua, vai, "cronicando", construir textos, premeditadamente sem atavios e sem os brilhos ofuscantes das sedas e veludos da norma culta, textos que digam a emoção de estar no mundo.

Observador interessado – de si mesmo, do outro e da vida – o narrador-cronista sabe que o seu dizer não pode ignorar o tempo presente – é nele que vive – e também tem consciência de que não pode fazer tábua-rasa do passado. O tempo comanda a vida; haverá, assim, nas crônicas, a convivência de vários tempos: há um tempo que passa, se esvai e nos esvai, melancolicamente consumido pela velhice; tempo cruel, que teima em deixar em nós marcas de sua passagem, no corpo e na alma. Mas há também um tempo passado que, persistindo vivo na memória, faz-se presente nas recordações e na saudade.

E o cronista lembra que há ainda um tempo, não mensurável pelos relógios: um tempo interior, transformador, um tempo que, submetido a sentimentos que dão cor ou escuridão à vida, tem o poder de apagar ou acentuar as marcas exteriores das suas andanças, anulando ou reforçando suas pegadas na tela do nosso corpo.

Finalmente há ainda, no campo onde se movimenta o professor de Linguística, um outro tempo que permanece imutável nos limites do seu território, quase congelado, às vezes mofado, cego para a necessidade de mudar o seu dizer no uso da língua; um tempo imóvel que recusa, escandalizado, mudanças no método e no conteúdo do ensino da linguagem, perpetuando procedimentos ultrapassados e ineficientes, rejeitando a abertura para exprimir novas situações do usuário da língua. E isso incomoda muitíssimo o nosso narrador.

Assim, a propósito disso, sempre "em tom de conversa", o narrador tenta explicitar a sua opinião em várias crônicas, via de regra em diálogo com alguns dos seus interlocutores (que, não por acaso, têm nomes de cronistas famosos: Caio, Mário, Paulo, Lya, Fernando, Rubem, Lygia, Clarice, (Antônio) Maria). Insiste o cronista-professor nessas conversas, afirmando que não é sua intenção "desvalorizar" a norma culta, como lhe objeta um dos seus alunos-professores. Atento ao tempo linguístico em que vive, o narrador quer que se desperte, "em tom de conversa", nas jovens turmas, o prazer de usar a linguagem colorida, viva e pulsante das várias circunstâncias do nosso tempo; afinal, usar a linguagem é expressar com fidelidade o nosso mundo de todos os dias.

Embora este assunto seja abordado em muitas crônicas, o dia a dia do narrador também se faz presente, através do olhar e da imaginação, numa mescla de sentimentos: emoção, paixão, irritação e humor. Sempre em tom de conversa, o narrador-cronista conta várias situações em que se envolveu, e as lembranças que lhe permanecem presentes no tempo da memória como por exemplo a comoção que o invade, ao notar um fato insignificante: a alegria nos olhos risonhos e azulzinhos de uma senhorinha ao assistir um musical; o imaginar emocionado da força do amor ao ver um casal que não conseguia desprender as mãos, sempre unidas; o susto irritado ao verificar que o taxista ousado só possuía uma das pernas; o medo contagioso das salas de espera de consultórios médicos; a impaciência com a epidemia de celulares que grassa em nossos dias, o apego quase obsessivo a esses objetos que parecem instrumentos vorazes que silenciam as vozes, temendo talvez possíveis armadilhas da fala olho no olho; o afeto saudoso que lhe vem com a recordação da rua da infância, sintomática e lindamente chamada "rua do Aconchego"; e terminando este rápido e lacunoso comentário sobre algumas crônicas, a lembrança do pai, transbordante de amor e de saudades, pai e filho sempre atentos ao outro, se comprazendo com a paisagem humana que lhes chegava pessoalmente ou através da literatura que a retratava.

Essa atenção comovida pela paisagem humana e por tudo o que ela expressa, se estende, no sentir do narrador, à natureza que, interagindo com o homem, humaniza-se também. A bela crônica "A mangueira" exprime bem esse sentimento: a árvore, companheira-cúmplice do narrador nas aulas que a janela emoldurava, uma vez podada, sem as "vestes" costumeiras, constrange-se, na sua nudez, diante do cronista, mas acostuma-se de tal modo com a sua nova imagem, que passa a estabelecer com o narrador um jogo erótico de sedução, deixando-o bastante embaraçado; até que, para tranquilidade dele, o jogo cessa com o passar do tempo, que traz, nos frutos que surgem, a alegria à árvore. O estar atento ao outro invade a imaginação do narrador, chegando a fazê-lo emprestar atitudes e desejos humanos a uma árvore que, embora presa ao chão, parecia presa a ele. O narrador-cronista não passa impunemente pela paisagem, humana ou não, pois tudo é vida, com alegrias e tristezas, com esperanças e decepções. E todos nós, em algum momento de mais desamparo e solidão, temos, como o poeta Manuel Bandeira, necessidade de fugir para Pasárgada, terra de leite e mel. É o que faz o narrador em duas de suas crônicas. Mas creio não estar nas Pasárgadas do cronista o ar que dá a cor da felicidade à vida.

Talvez haja para o narrador-cronista uma outra Pasárgada, um espaço que sempre foi mágico para ele – a sala de aula. Na crônica que tem esse título, o narrador utiliza "magia" (duas vezes), "coisa mágica" (duas vezes) e "espaço mágico" (seis vezes). Não seria a sala de aula, para o narrador, o espaço mágico de Pasárgada? Nesse espaço, o tempo encolhe; para lá, o narrador se encaminha "sempre animado". Nesse espaço, ele está, prazerosamente, sempre atento ao outro, sempre pronto para ouvir. Gosta de estar com os alunos, habitantes dessa Pasárgada: "não é difícil, é só eu estar atento aos olhares dos alunos", diz o narrador-cronista; a sala de aula, para ele, é um espaço que "começou mágico e continua mágico".

Existirá o tempo num "espaço mágico"? Haverá melhor lugar para que um grupo de pessoas possa estar cada um atento ao outro? Haverá para um professor um lugar com tanta magia? Para o narrador-cronista, a sala de aula, "espaço de magia", é a sua Pasárgada. Só que lá ele não é amigo do rei. E digo, não "em tom de conversa" mas em definitivo tom solene: nessa Pasárgada ele e os alunos, todos, são reis.

MARGARIDA ALVES FERREIRA
(Professora de Literatura Portuguesa da UFRJ.
Doutora em Letras Vernáculas
(Literatura Portuguesa) pela UFRJ.)

Sumário

A crônica	19
Jogando conversa fora	24
O tempo	28
Os sebos	33
Os livros	36
Uma palestra para não esquecer	44
Um aluno que sonhava	48
Ao entardecer da vida	52
É a vida	57
A vida nas diferenças	59
Na arte e na vida	64
A rua não esquecida	68
Um pai preocupado com o vernáculo	75
Uma entrevista	79
O encontro	82
A mangueira	84
O ensino da língua: entraves de ontem e de hoje (I)	87
O ensino da língua: entraves de ontem e de hoje (II)	93

Consultas médicas	102
Às voltas com a fonoaudiologia	107
Dar presentes	113
Os shoppings	118
Notas descosidas sobre uma viagem a Pasárgada	123
Rumo a uma outra Pasárgada	135
Ser autor (I)	141
Ser autor (II)	146
Os celulares	150
Os taxistas	154
A linguagem: um mundo maravilhoso	160
O menino e o ensino de Português	168
O pão nosso de cada dia	171
A sala de aula	175
Turbulência pedagógica	180
A beleza, dádiva dos deuses	185
A professora e o seu desencanto	189
A paisagem humana	195
Em conversa com um professor	199
O depressivo Maria	204
Noivo neurótico, noiva nervosa	208
Pelos caminhos da beleza	212
Prova de Português	216
Dia do Professor	221
O computador	225

A crônica

Por que crônica? me perguntou o Caio. Por que não uns contos, um romance, sei lá! Memórias! Por que não crônica? respondi. Quase todo mundo escreve crônicas, replicou meu velho amigo. Pega um jornal, uma revista, lá está a crônica. Gênero menor, não é Caio? Sabe daquela história? Sei o que não quero, mas não sei (ainda) o que quero. É por aí. Mas gênero menor? Afinal, Machado, Drummond, Cecília, Rubem Braga, Paulo Mendes Campos, Sabino, Rachel, Ubaldo... Rubem Braga ficou fiel à crônica, não chegou a escrever um romance. Já temos até uma antologia, *As cem melhores crônicas brasileiras*, você conhece, selecionadas desde os anos de 1850, quando "o cronista entra em cena e flana pela cidade", até os anos 2000, quando se publicam crônicas pela internet, desde, pois, Machado a Tutty Vasques. E não se esqueça de que a crônica é tida por muitos críticos conceituados como o gênero brasileiro, tal a sua aceitação, "o mais brasileiro dos gêneros", em sua grande diversidade. Amigo, amigo, não há aí ainda um preconceitozinho não superado?

Queria é não escrever apenas ensaios, sabe? Estou cansado... Cansado dos meus textos. Necessidade mesmo, a me agoniar, força estranha, meio indomável, de saber narrar coisas triviais, em outra linguagem. Pus-me então a escrever, e o gênero foi rapidamente emergindo. Eram crônicas! Inevitável, não é? Depois de alguma escrita, chega o gênero como que nos dizendo: estou aqui, agora é comigo, vai seguindo. Você já viu alguém falar ou escrever fora de um gênero? Claro, não são ditadores, afinal, admitem variações, se não seria uma mesmice só. O certo é que me flagrei, meio surpreso, no mundo da crônica. Percebe, Caio, não escolhi escrever crônicas, foi simplesmente resultado do que comecei a digitar, na tentativa de construir novos textos.

É verdade que sempre gostei de ler crônicas. Primeiro, em jornais e revistas, depois, reunidas em livros. Até certo ponto, fui acompanhando a sua progressão, com o surgimento de novos cronistas talentosos, de novos estilos para o gênero. Portanto, Caio, o meu namoro com a crônica é antigo. Mas nem pensava em me aventurar, a minha escrita era outra: sisuda, substantiva, toda preocupada com a precisão, bibliografia selecionada, tudo fundamentado, ilustrado, afinal, estava no mundo científico, no mundo dos conceitos... No entanto, aquela leveza de linguagem a narrar o que se observa no cotidiano, a evocar outros cotidianos, me atraía. Inveja dos cronistas, sim, é o que sentia muitas vezes. Algumas crônicas mereceram até análises minhas, você chegou a lê-las, me lembro. Uma atividade diversa com a linguagem. Tudo tem o seu tempo, ouço dizer desde sempre. Mas, convenhamos, o meu tempo de narrador, este tempo custou a chegar. Fui penetrando neste novo mundo timidamente, receoso de cada tecla pressionada, longe de saber a que esta aventura me levaria.

O que me atraía, me atrai mesmo na crônica? Por que ter chegado a esta quase compulsão? Ah, a liberdade, antes de tudo! Liberdade absoluta para focalizar qualquer assunto, desde uma cena de bar ou em fila de banco, o passeio por um shopping, a contemplação de uma árvore, um filme, uma entrevista, uma aula, conversas com colegas de profissão, até tiradas filosóficas sobre a vida. Sem nenhum compromisso com a densidade das observações. Tudo pode, até ficar falando da falta de assunto, como já fizeram tantos cronistas. Por isso, Caio, o cronista se expõe tanto, sendo frequente também ele ter de lutar contra o tempo para entregar o seu texto à redação de um jornal, por exemplo. Depois, me seduz no gênero aquela leveza de linguagem, um exercício certamente fascinante — difícil! —, na construção dos textos. Caio, o encontro deste modo de dizer é o que mais me parecia dificultoso, como diria o Guimarães Rosa. O cronista deve ter sempre esta capacidade de atrair os leitores, diverti-los, se possível, manter o que escreve em ar de conversa, o que requer um domínio competente dos recursos da língua, para expressar, digamos, o humor crítico, presente em tantos cronistas. As pitadas de humor dão um tempero muito saboroso às crônicas, e à vida. Não sei, mas sinto que o cronista lida com o impulsivo, gosta mesmo de se arriscar, de chegar a fingir que não se leva a sério. Isto tudo me era inteiramente novo. Conseguiria eu, tão preso linguisticamente em meus textos aos cânones acadêmicos, me soltar, criar diálogos ágeis, assumir-me como autor destas narrativas? A liberdade não costuma ser fácil, não é mesmo?

Os estilos dos nossos mais celebrados cronistas são tão distintos, que há até tentativas de classificá-los, o que dificulta a identificação do gênero. O que tenho constatado é que a crônica me tem servido muito como resgate e mesmo aproximação de memórias de tempos diversos: uma vivência de ontem a me evocar outra antiga, uma situação outrora difícil, hoje encarada quase comicamente, em suma, a memória me ocupando, me trazendo de volta o já não lembrado, me propiciando relacionar fatos ou ocorrências até então sem conexão para mim. Mas a crônica me tem estimulado, e muito, o exercício da linguagem. A procura desta linguagem tão leve e tão sedutora que caracteriza a crônica, requer trabalho, elaboração, sem que o narrador tema se expor, mas, ao contrário, goste mesmo de se arriscar, sempre no intuito de atrair os leitores, pelo assunto focalizado e pela linguagem utilizada. Em suma, cronicar não é nada fácil! Mas não encontro outro lugar textual para contar certas coisas. E o momento existencial está me impelindo, forte e insistentemente, a falar delas. Não dá mais para segurar!

Jogando conversa fora

Amanheci hoje com vontade de escrevinhar. Nenhum fato, situação ou lembrança a merecer minha atenção. Apenas o desejo de enfileirar palavras, frases, a formarem um texto, cronicar, na verdade. Há escritores que contam não gostarem de escrever. Puro charme, me parece. Às vezes me baixa uma forte compulsão de sentar e começar a escrever, como nesta manhã já tomada pelo sol. Não sei explicar. Também esta mania de querer explicar tudo! Me assaltou a vontade de escrever, é escrever, pronto! Não me armo de dicionários, de gramáticas... Não fumo, então só resta o café como companhia, e sem exageros. Não evito alguns lugares-comuns, afinal, escrevo sem maiores responsabilidades, na condição de mero homem comum. Literatura elaborada é com os homens e mulheres de talento para tal. Não quero causar interrupções frequentes na viagem da leitura. Ao contrário, quero textos de travessia sem solavancos, caminhos retos, planos, percorridos com alguma velocidade. Tudo isto desperta o meu apetite escrevinhador. Não perco o sono, não me desligo da minha gente e da minha vida com variados interesses, não entro em estados de maior euforia ou desalento. Assim, lá vou eu com minhas crônicas, saciando, nem sempre, o desejo de escrevinhar, quando ele brota.

Fique bem claro: nada contra os dicionários e as gramáticas! Na verdade, quando construo estes textos, não os científicos ou pedagógicos, quero me sentir livre em meus voos linguageiros. Então, nem sempre dicionários e gramáticas podem me ser de valia. Acima, empreguei o termo "cronicar", já lido por aí; pois bem, em dois dicionários, de justa credibilidade, não encontrei tal verbete. Mas continuarei a recorrer a "cronicar", sempre que me aparecer adequado ao que estou escrevendo, mormente quando cronicando... Tenho optado por uma colocação pronominal que não segue as prescrições das gramáticas. Não prego o caos, a inexistência de regras, de jeito nenhum, mas adoto outras regras para optar pela próclise ou pela ênclise. A principal: a minha intenção enunciativa do momento. Assim, posso começar um período por pronome átono e, ainda no mesmo texto, empregar a ênclise quando estiver iniciando também período. Não venho utilizando a mesóclise ao cronicar, não porque me pareça uma construção já arcaizante, porém, porque não a tenho sentido como natural na construção das frases que vou estruturando.

Não posso negar que, ao escrever, o mais frequente é ter um ou até mais de um assunto a me exigir atenção. Selecionar, quando é o caso, entre um ou outro não é fácil. Perturba a minha concentração, ideias distintas se embaralham, até um dos assuntos merecer a minha preferência, por razões não explicáveis. O tom com que escrevo está muito relacionado com meu estado de espírito do momento. Então, aparecem crônicas contundentes, ternas, críticas, galhofeiras... A crônica é, pois, sem dúvida, um tipo de gênero textual muito propício a traduzir nossa momentânea situação emocional. Já li, em certo lugar, que a crônica é o PF bom e caseiro da literatura, o sabor de cada dia. É isso, me parece. Com este sabor variado, nos flagramos falando abertamente de fatos da vida real, comentados, muitas vezes, pelo país e pelo mundo, ou dando asas à nossa imaginação, que faz parte também do nosso viver. Acontece, no entanto, de me sentar e deixar as teclas irem me levando... Não sei às vezes para onde... Acaba-se tendo confiança nelas. Ao fim, o resultado, o texto, traduz um certo modo seu de olhar e viver a vida.

Quem se habituou a cronicar adquiriu os hábitos de um observador mais atento dos fatos e das pessoas neles envolvidas. A experiência estética começa por estas leituras do mundo e das pessoas, com base, às vezes, em leituras prévias colhidas aqui ou ali, ontem ou hoje. Um cronista costuma ficar, em certos momentos, um tanto desligado de um bate-papo, por exemplo. O procedimento, a fala de alguém lhe prende a atenção. Passa ele, então, a já esboçar uma possível crônica. Só depois volta ao mundo do bate-papo. Em suma, é um distraído para os companheiros. Ou a conversa de lado, tomado, imprevistamente, por uma lembrança qualquer. O olhar chega a se desviar da tulipa do chope, quando não da tela de um filme no cinema escuro, ou de um livro que esteja lendo. Certa obsessão? Diria, talvez, que um forte desejo de escrevinhar sobre a vida e de querer compartilhar, em uma conversa ligeira, o que nos estão passando os devaneios quotidianos. Em linguagem atual de rede social, pode-se curtir, comentar ou compartilhar uma mensagem postada. O que o cronista mais quer, tem lá também as suas vaidades, é compartilhar o que escreveu, não precisa que se comente, e curtir só, francamente, não merece. Afinal, caprichou tanto! Vai ver não o entenderam...

O tempo

O tempo! Sempre nos agarrando. Até quando nos solta... Desde os primórdios se fala sobre ele. Merece comentários do homem comum no seu dia a dia, reflexões dos filósofos de todas as épocas, tratamentos diferenciados dos poetas e dos ficcionistas. Difícil mesmo evitar o emprego recorrente da palavra que a ele se reporta, em todas as comunidades. Consulte o verbete "tempo" em um dicionário: um verbete sempre bem longo, a documentar inúmeras acepções textuais e variadas expressões feitas com a presença do termo. Unido a nós, não poderia deixar de ser mencionado a cada passo, tal o seu valor em nossas vidas, que não podem prescindir da dimensão temporal. Vida é tempo, tempo é vida. Cronos, o deus poderoso, é a medida de todas as coisas.

A avaliação do tempo, por cada um de nós, é muito variada, singular, pois somos muito variados, singulares. O tempo como aliado ou o tempo como uma ameaça, a diferençar modos diversos de encarar a vida, numa escala de gradação sem fim? Viver a vida com alegria ou como fardo pesado, uma cruz? Assim, o tempo pode parecer voar ou se arrastar. Atualmente, é verdade, ouve-se, com frequência, que as horas passaram rápido, a semana, o mês, o ano. Pudera! Nunca, penso, se correu tanto no dia após dia! Nunca, talvez, tivemos de ser tão plurais, com tantos papéis a desempenhar, numa verdadeira maratona social. É o "deixa a vida me levar..."

Não ficamos imunes ao passar do tempo, mormente os que alcançaram o privilégio de ir vivendo (não sobrevivendo!) as fases fundamentais do ciclo da vida: infância, adolescência... até o envelhecimento. Terceira idade é expressão de que não gosto, algo, para mim, condescendente, meio até demagógico. O tempo vai se encurtando e, com ele, o sopro da vida! A respiração já não é, então, a mesma. Voltamo-nos para o passado a fim de resgatar a memória de tempos idos. Entrecruzam-se os momentos, esquecida a cronologia. Fatos pretéritos (e mais-que-pretéritos) são ressuscitados. Por que estes, e não outros? A memória é seletiva, tem lá os seus critérios e me fará deter no que merecer ser salvo. Mas, já menos oxigenada, vai passando a nos faltar com a sua cumplicidade, tão essencial. Nos faz sentir, muitas vezes, que não pode estar mais a nos acudir, como em outros tempos. Desapega-se, aos poucos, de nós. Não há alternativa: temos de ser dóceis aos novos tempos! Como a vida não para, tentemos ainda criar condições de entoar hinos a ela, celebrando-a. Afinal, ela bem merece...

Num grupo de jovens senhores, a memória, ou a sua falta, é tema recorrente nas conversas. A memória está me falhando sobretudo em nomes próprios, diz um. Nomes correntes para mim. Não sei como não esqueço o meu, ao acordar um dia! Se acontecer, não vou indagar de ninguém: como me chamo mesmo? Fácil, fácil, a notícia se espalha e lá vêm aqueles olhares de comiseração. Outro participante do grupo confessa que sua falta de memória já atinge alguns nomes comuns. Estou com o objeto na mão e nada de me lembrar do seu nome. Isto aqui... Um terceiro personagem, já em clima de galhofa, exclama que certos advérbios começam a se ausentar de sua fala. Estou caminhando, a passos largos, para contar só com as interjeições! Retorno ao balbucio das crianças? — pilheriou um companheiro. Uma coisa ficou clara: como o grupo tinha aprendido bem as classes de palavras! Resultado, certamente, de um ensino eficiente dos velhos tempos... Uma serventia não previsível...

Avalio que a passagem do tempo deve ser cruel mesmo para muitas celebridades, termo que está na moda, para caracterizar todo aquele que aparece constantemente sob os holofotes da mídia. Quantos artistas, como de repente, desaparecem do noticiário, principalmente suas fotos atualizadas, para preservar aquelas imagens, de beleza, de sedução, de charme, fixadas pelo público. Um acordo tácito (e humano) com a mídia, muitas vezes. Vez por outra, a notícia de que um antigo e famoso ator ou atriz, de merecida fama durante tanto tempo, está vivendo no benemérito Retiro dos Artistas. Mas, o silêncio sobre a idade de alguns, resguardado até há pouco, já não mais se sustenta. Certas revistas, impiedosas, chegam a escancarar as idades de ídolos.

Mas permanece, em relação a um ou outro nome famoso, a controvérsia sobre a idade verdadeira. Wisnik, em uma de suas crônicas, nos dá a conhecer a resposta, em tom de Clarice, de Elza Soares sobre sua idade: "Tem dias em que tenho 7 anos, em outros, 15, tem momentos em que tenho 25, 47, 70, às vezes tenho 90, tem momentos em que já morri, e outros em que estou nascendo, como agora." Compreendi, então, por que, ao me encontrar com ela, há dias, em companhia de um jovem em idade, a achei, naquele momento, mais jovem do que o namorado! E não é que, passado algum tempo, torno a me encontrar com ela, com o mesmo namorado, em um restaurante, sentados a uma mesa próxima à minha. Nesta noite, já aparentava ser uma mulher de mais de 80 anos, abatida, alheia à agitação ao seu redor. Silêncio em sua voz e em seu olhar perdido. Olhava sem olhar. Voz e olhar tão denunciadores, a desnudarem sempre, a um observador atento, a alma humana. A lucidez de suas palavras ficou, no entanto, retida. Na verdade, temos várias idades, podemos viver, num mesmo dia, tempos muito distantes. Hoje, me pergunto, comecei o dia com que idade? E já no crepúsculo?

Os sebos

Outro dia resolvi peregrinar por alguns sebos do Centro da cidade. Há quanto tempo! O hábito de frequentar sebos remonta à minha juventude, quando ingressei na universidade. O Jornal do Commercio publicava, aos domingos, em pequenos anúncios, relações de livros e revistas, que tinham sido adquiridos por eles. Segunda-feira, às sete da manhã, eis-me em frente à loja do sebo que me interessava. A casa, daquelas bem antigas, só abria às oito, mas, uma hora antes, se formava, na calçada, uma pequena fila de bibliófilos. Abria cedo sim, porque o dono sabia da ansiedade daqueles madrugadores. Situavam-se numa daquelas ruas próximas à Praça Tiradentes. Se eu chegasse em segundo lugar, corria o sério risco de o primeiro da fila querer exatamente a obra que tanto eu sonhava ter em minha biblioteca, que acolhia os primeiros livros. Frustração, por que passei algumas vezes, horrível. Um dia de lamentações pela perda. Já era quase minha, afinal! A aflição em querer adivinhar qual obra interessava ao meu possível concorrente era muito forte. Que vontade de perguntar logo que ele declinasse o nome do autor cobiçado. Era um jovem, e meus companheiros de expectativa, bem mais velhos. A época, outra, também impunha respeito aos mais velhos. Muitos livros importantes, para aquele tempo, foram sendo adquiridos assim pelo estudante de Letras.

Os sebos mudaram muito. Se tornaram mais numerosos, chegaram aos bairros, ocupando lojas espaçosas, com um acervo considerável. Livrarias de porte. Ao entrar no primeiro, dei logo com o prestantíssimo volume do Secchin sobre... os sebos. Tudo a ver. Meu espanto aumentou quando deparei com exemplares de obras minhas. Autor defunto? Defunto autor? Nos velhos tempos, sebo se dedicava mesmo ao comércio de livros raros ou esgotados. Os autores já tinham falecido, ou suas obras já se tinham esgotado há muito tempo, em edições antigas, de tiragens limitadas. O que faziam então os meus ali, de publicação recente? Corri aos exemplares, morto de curiosidade. O primeiro não levava nome de ninguém, intacto, apenas mais barato. Era um sebo! Operações comerciais com distribuidores, com certeza. Avidamente procurei examinar outros. Um deles tinha o nome do comprador. Nenhuma marcação. Virgem de leitura. Não leu e não gostou. Outro não vinha com a página inicial, para ocultar o nome. Preço mais em conta. Um ou outro com poucas marcações em passagens a serem destacadas, por alguma razão. Não tão importante assim serem lembradas, quem sabe, numa segunda leitura, pois, afinal, seu dono se desfez do exemplar. Mas um me chocou, ao manuseá-lo, e fortemente: estava com o nome do comprador. Simplesmente de um ex-aluno meu! Amigo, forte abraço... na dedicatória! Deve ter ido à noite de autógrafos. Não podia imaginar que ele... Quanto pode ter obtido com a venda? Quase nada. Na verdade, nunca fui com a cara dele. Nem era bom aluno. Podia até tê-lo reprovado.

Pensando bem, preferia os sebos antigos... Aquela expectativa de ser ou não o comprador, a procura nos jornais, aquele cheiro... E os autores não ficavam assim expostos ante suas próprias obras, adquiridas um dia por gente conhecida, por ex-alunos, com quem você tinha convivido numa relação tão próxima, mas que até se desfazia diante do abandono do que você um dia escreveu.

Os livros

Eis-me sentado no sofá de meu escritório, a olhar para os livros dispostos na estante à minha frente. Ela ocupa toda uma longa parede, encostando quase no teto. Vez por outra, estou eu percorrendo, com a vista atenta, as prateleiras em que os livros parecem lutar por um lugar, se possível, vip, para quem passar os olhos por elas. Gosto muito de ficar observando esta estante: seu colorido, as diferenças de altura e de espessura dos ocupantes, à minha espera... A maior parte da minha vida, 44 anos!, convivo com eles, sempre em diálogo com um ou outro, neste mesmo espaço. Um bom número (quantos?, não sei) já me acompanhava quando aqui me instalei. Mas a maioria nasceu aqui. De outros tantos, é verdade, me separei, os passei adiante, porque a falta de espaço estava transformando o escritório em um caos. Como se tornou difícil localizar a obra que, naquele momento de urgência, precisava consultar. Estava por baixo de alguns, empilhados num canto! O aumento dos livros se fez quase diário, a partir de uma verdadeira explosão bibliográfica que alcançou o nosso país, e a partir também da crescente vaidade do intelectual, que tinha necessidade de ostentar uma biblioteca com um número apreciável de volumes, sob o disfarce de uma atualização necessária. Tem a obra tal? E aquela outra? Por aí é que muitos livros começaram a ficar fechados, intocados... Foram envelhecendo virgens de consultas! Não queria fazer feio perante os colegas, isto não! Não foi nada fácil me separar de um número expressivo deles. Ia os convidando a sair em blocos. Foram muitos blocos. Me indagava, angustiado: Como estarão eles? Tinha todo o cuidado na escolha de para quem os doaria: antecedentes, espaço reservado a eles, pessoas que deveriam manuseá-los... Cheguei a sentir fortes saudades de vários. Que grande besteira me livrar deles! Visitá-los? Nem pensar! Muito sofrimento! Podia receber queixas de que não estavam sendo bem-tratados, sem nada mais poder fazer.

Hoje aqui sentado, fico uma vez mais percorrendo com prazer a estante, a maior do escritório, e observando, sempre curioso, as lutas entre certos livros por um espaço mais nobre nela. Isto é evidente. Os mais magrinhos, às vezes tão apertados entre dois fortões, vão sendo como que comprimidos! Suas lombadas quase desaparecendo! Um pouco do que se dá na vida. Ah! Os poderosos!, quase sempre uns ditadores, e não precisa tanto poder para isso. Às vezes, um simples chefe de seção! Coitados dos Fabianos da vida, que nem podem se defender, porque não sabem argumentar, lhes falta linguagem, lhes faltaram livros. E são tantos espalhados por esta terra gigante! Há vida também entre os livros! Como não? Há os presunçosos, cheios de si, conscientes de seu valor, naquela ampla estante. Acho que sabem que são imprescindíveis. Como, na verdade, passar eu sem eles? Muitos ganharam até encadernação. Se vaidosos já eram, mais vaidosos ficaram, assim fardados. Há os depressivos, enfastiados em seus lugares, percebendo que não atraem, como outrora, a atenção das pessoas. Seu valor foi se enfraquecendo com o tempo, o inexorável. A ciência não para de avançar. A literatura, de ter outros ideais estéticos. Há os que fechados chegaram, fechados continuam, pouco ou nada participam da comunidade bibliotecária. Há os revoltados pelo desprezo a que foram relegados (os ultrapassados!, palavra terrível!), depois de relevantes serviços prestados. Não me perdoam: Nos esqueceu, não é? Estamos velhos, sabemos, com páginas já amarelecidas, soltas. Folhas mortas... Há os tímidos, aqueles que estão a toda hora se escondendo atrás de outros. A vida, pois, sempre a pulsar diferentemente também entre os livros.

O certo é que os livros, os meus livros, me ajudaram muito. A viver, diria, num estreito contato diário. Não sabia estudar, escrever, nada!, fora deste meu espaço, só meu. Sempre com eles, meus companheiros abnegados, que a mim se doavam, pacientes, no mundo de minhas variadas necessidades. Muitas vezes, eu é que não era paciente com eles. Cobrava-lhes: Por que não me facilitam a leitura, a vida? Não tenho muito tempo para tentar entendê-los! Com frequência, sim, chegava a maltratá-los (não sou, assim, um bibliófilo). Rabiscava-os compulsivamente, com lápis e canetas diversas, é verdade, na ânsia de assinalar, com certo espalhafato, o não entendido, ou para não esquecer passagens lidas. Sentia, nestas situações, que ficavam muito magoados comigo, como se estivessem sendo feridos. Mas não estavam? Logo, logo, no entanto, a um novo chamado meu, ei-los pressurosos a me servir. Alguns, de tanto serem consultados, ainda viam suas capas se soltarem, arrancadas de seus corpos, perdidas pelas estantes. Ficavam deformados, uns aleijões, tinham, envergonhados, de se revoltar com este leitor neurótico... É certo que receberam muito carinho meu. Quando a leitura me empolgava, me abria horizontes, que prazer alcançava! Vontade de envolvê-los num grande abraço, comemorando juntos a compreensão daquele texto. Muitos já se foram, eu sei, porém a maioria envelhece comigo, não tenho também mais forças para mandar algum embora. Como suportar, nesta altura da vida, a perda de alguém querido? Doloroso, eu sei... Sim, há os que continuam ainda a chegar. Os inevitáveis. Mas poucos, vai se ficando elitista, e, afinal, não tenho mais idade para começar tantas novas relações assim...

Sentado permanecia, naquela tarde de domingo, na minha viagem visual, evocando recordações ao longo de tanto tempo, afinal, uma vida de 44 anos! E também me recordando de como os livros começaram a ocupar a minha primeira estante, em outra morada, a da minha mocidade. Ia atrás deles pelos sebos do Centro da cidade, na livraria Acadêmica, para indagar se chegara alguma novidade ou uma reedição de obra esgotada. O aprendiz de intelectual se ufanava com o crescimento de seu ainda reduzido acervo de livros. Já dava, no entanto, para conversar sobre eles com colegas mais velhos. A vaidade sempre presente, se vê. Agrupá-los por assunto era uma das minhas ocupações preferidas. Até bem pouco tempo, cada nova obra que chegava tinha sua destinação certa. Depois, a pousava onde encontrava algum pequeno espaço, ou ficava mesmo sobre outros, na horizontal... Uma coisa é certa: percorrendo as prateleiras, ainda hoje consigo identificar o livro, os não encadernados. Estes é que conseguem ter sua marca, pelas cores de sua capa, pela sua espessura, altura... Os encadernados, com toda sua altivez, eram menos identificáveis. As obras de um autor, todas uniformizadas com a mesma cor, não eram lá muito distinguíveis. Nesta contemplação matinal, é que realmente me dou conta dos muitos, muitos livros não lidos, ou consultados, talvez, uma vezinha. Não importa, disse, conversando comigo em voz alta, mas também são meus livros. Afinal, o dia a dia comigo, às vezes por horas, não significava nada? São todos meus, confidenciei, num arroubo de posse. Muito especiais alguns: os que carregam dedicatórias tão fundamentais para minha vida; os que foram básicos em minha formação (não importa a mim a idade deles!); os que me foram tão úteis em determinadas circunstâncias; os que são quase, diariamente, consultados, por isso, com frequência, ficam atravancando a minha mesa. Meus livros, meus cúmplices! Como me conhecem! Muito mais do que eu a eles.

Não sei tanto deles não! Só o que dizem as suas páginas, como as leio. Mas não tenho acesso à conversa entre eles. Não conversam com os leitores? Por que não conversariam entre eles? Dirijo, de novo, meu olhar atento para as prateleiras. Localizo Bandeira e Drummond, lado a lado! O que falariam entre si? Difícil imaginar! De suas cidades de origem, de poesia e sua linguagem? Bandeira do seu Recife, onde "Tudo lá parecia impregnado de eternidade"?, e Drummond de suas reminiscências itabiranas? Ou Bandeira de sua viagem a Pasárgada, e Drummond de suas estampas de Vila Rica? Ou ainda, quem sabe, Bandeira lembrando o seu estar farto "Do lirismo comedido/Do lirismo bem comportado", e Drummond evocando o "Já esqueci a língua em que comia/Em que pedia para ir lá fora,/Em que levava e dava pontapé"? Como imaginar a conversa deles? Vizinhos, em outra prateleira, encontro Alencar e Machado! E agora? Sobre que trocariam ideias os dois grandes romancistas? Sei lá... Talvez temas palpitantes de suas obras, focalizados pela crítica, como nacionalismo/universalismo. Conversas sérias, presumo. Juntinhos estão lá o Graciliano e Jorge Amado. Ambos nordestinos, porém não é nada previsível como dialogariam, na verdade, autores de obras de temática e linguagem bem distintas. O monólogo interior do Graça e a linguagem corrente trabalhada do Jorge. Ou de política: Graça foi prefeito, Amado, deputado federal! Conversa áspera, suponho. Passo para a prateleira dos cronistas. Consegui manter juntos alguns mineiros, famosos também por terem vivido muito próximos. Eis o Sabino, o Otto, o Paulo... O Pelegrino? Devia estar perdido em outro local. Pelo menos os três continuam vivendo o seu "encontro marcado". Boas pilhérias certamente deviam sair! Deparo, coladinhos, com Rubem Fonseca e Dalton Trevisan, ainda vivos, e ambos ganhadores do Prêmio Camões. Especulo aqui sobre certo ressentimento manifestado pelo Trevisan acerca da restrita repercussão pela mídia ao ser proclamado vencedor do último Camões.

Este passeio pelas estantes se arrastaria por tempo indefinido, propiciando confrontos sempre interessantes a um leitor com certo conhecimento dos livros que povoam as prateleiras de sua biblioteca. Não só ao pousar no campo literário, mas no do estudo e ensino da língua, no da história... Claro, este passeio torna-se mais estimulante ao olhar do estudioso, se o acervo de livros tiver certa organização! Consegui manter tal ordenação apenas em relação às obras literárias. Apenas! A minha restante biblioteca (como é difícil preservá-la dos cupins e ordenar os livros criteriosamente!) atualmente me deixa, com frequência, com os nervos à flor da pele. Encontrar um livro me deixa, às vezes, exausto, quase desistindo da demanda.

Mas vale a pena (e como!) ter um acervo de livros nossos. Quando se pode falar em biblioteca, não sei, isto é irrelevante, um mero critério numérico. O importante, e não há como silenciar sobre este ponto, é o valor que os livros podem ter para uma pessoa. Alcançar uma cumplicidade com eles é muito bom, bom mesmo! Quantas vezes me levantei da minha mesa sem rumo, a andar de um lado para o outro. Me dominava a dúvida, a angústia, o desconcerto mesmo. E eles, atentos a mim... Sim, meus livros me ajudaram efetivamente a viver, a superar tantas situações! Me passaram um mundo de conhecimentos, mas, muito mais, também suportaram as minhas constantes vacilações de humor, de vida. Na alegria e na tristeza, na saúde e na doença...

Uma palestra para não esquecer

Há uns bons anos, fomos, um colega e eu, convidados para proferir uma palestra numa cidade do interior fluminense. Me lembro bem (a memória parece boa). Na estrada tudo correu calmo, talvez porque eu!... não corri... Apenas uns enganozinhos em pegar o trajeto, normais numa viagem que nos levaria à cidade que nos distinguira com o convite da Academia de Letras local.

Ao chegar ao hotel que nos fora reservado, a primeira surpresa (e que surpresa!). Na recepção, um hotel modesto, de dois andares, vivalma para nos dar as boas-vindas. De repente, surge, andando devagar, e em nossa direção, um enorme cachorro. Parou e nos ficou observando. Seu olhar não era de ameaça, mas ameaçados ficamos. Meu colega e eu nos entreolhamos, já com caras de pavor. Estáticos ficamos ali os três. Nenhum sinal de presença humana. O tempo arrastava-se a passos de eternidade. O que fazer? Medo até de nos falarmos. E se o cachorro quisesse participar da conversa? Já exaustos pela tensão, fomos salvos por um rapazinho que vinha descendo a escada. Boa noite, nos disse, simpaticamente. Vieram se hospedar? E o cachorro, meu amigo? — perguntei. Não, ele é mansinho, não se preocupem. E como prova disso, pôs-se a trocar afagos com o cão. Não é que ele tinha mesmo um olhar terno...? Ainda algo trêmulos, preenchemos as fichas do hotel, após dizermos nossos nomes.

Segunda surpresa, pelo menos para mim! Tinham nos colocado num mesmo apartamento, carente de um espaço maior. Claro, lá iam querer ter uma despesa maior com a gente? Meu colega e eu não tínhamos maiores contatos no Rio, um conhecimento apenas de encontros casuais. Uma boa diferença de idade entre nós. Naquela época, eu é que era bem mais moço, eu é que chamava o outro de senhor! Coisa complicada esta de dividir o banheiro com um senhor quase desconhecido! Enfim, deitamos. Tínhamos feito um lanche num bar já perto da cidade. Uma viagem é sempre uma viagem, sobretudo dirigindo por estas estradas desconhecidas. Cansado, estava seguro de adormecer logo. Queria me apresentar bem-disposto para a palestra no dia seguinte. Outra surpresa! Em muito pouco tempo, meu amigo pegou num sono pesado, iniciando um ronco que prometia! Não deu outra. Ronco insuportável, com direito a assovios! Impossível adormecer neste festival de sons altos e diversos! Pedir um outro quarto? Corria o risco de ele vir a saber no dia seguinte! Mudar de apartamento durante a noite? Que desculpa inventar? Tinha muito respeito por ele, nossa relação era mais para formal. Ah!, que saudade me bateu da minha casa, do meu quarto, da minha cama, do meu travesseiro! Sentia, naquele momento, como eram partes importantes da minha vida! O resultado foi que passei a noite em claro, por conta de um destes constrangimentos que a vida me faria perder. Dormiu bem? — me indagou ele, todo delicado, ao acordar. Mais ou menos, sou de estranhar a cama na primeira noite.

Mas haveria uma outra surpresa ainda, que de longe superaria as outras em emoção. A Academia local me pedira uma palestra em que focalizasse as relações entre língua e cultura. Falaria na parte da manhã, logo após haveria um almoço festivo, e meu colega teria sua participação à noite, durante uma sessão solene. Com a presença dos acadêmicos, fui apresentado, com todos os títulos (bem restritos naquela época), pelo presidente da egrégia instituição. Alguns estudantes do curso de Letras de lá assistiam também àquele evento. Comecei a falar com os agradecimentos de praxe. O texto tinha sido cuidadosamente preparado, até o tempo cronometrado, disciplinado como sempre fui. Vou, então, lendo, vencendo as páginas datilografadas, despertando até, diria, certa atenção dos circunspectos acadêmicos. De repente, me lembro com precisão (memória boa!), ao virar da página cinco para a página seis... cadê a página seis? Cadê as demais páginas do meu trabalhado texto? Não tinham vindo do Rio, com certeza... Distração, desleixo, o que seja, para derrubar qualquer um! Tentando não deixar transparecer que estava à beira de um ataque de nervos, disse aos presentes que já era hora de concluir (tinha falado apenas uns 15 minutos!), firmados tão somente os conceitos de língua e cultura. Procedi a um resumo do quase nada dito, para a estupefação visível dos presentes. Não tinha condições, naquela situação, de um esforço intelectual para, ao menos, esboçar o que estava elaborado para dizer em continuação. Sem as páginas datilografadas, não me lembrava de nada. Um branco total, e um palestrante lívido com aquela situação.

Não participei do almoço festivo, alegando indisposição, perfeitamente entendida. Fui para o hotel, sem cachorro e sem os roncos do colega. Na sessão da noite, ele foi brilhante. Ao nos recolhermos ao apartamento, pouco falamos e não houve ronco naquela noite. Consideração já de amigo.

Um aluno que sonhava

Ele era calado, meio arredio, se sentava sempre nas últimas fileiras. Talvez, tímido. Assíduo, atento às aulas, não costumava nem mesmo conversar com os colegas próximos. Alto, magro, escuro. Trocávamos olhares vez por outra. Me batia certa curiosidade de saber como ele era como pessoa, se gostava das aulas... Mas ele não se manifestava... Um dia, num intervalo, resolvi me aproximar dele. Gosta do curso? Sim, me respondeu simpática e concisamente. As aulas corriam. Numa delas, a propósito de uma troca de ideias com um aluno sobre pessoas não escolarizadas, mas dotadas de inegável inteligência, e a consequente falta de oportunidades nas suas vidas, que lhes propiciassem um crescimento intelectual e uma melhor condição social, me reportei à minha juventude. Passava, contei à turma, minhas férias na fazenda de um tio-avô. Me entretinha com alguns empregados da fazenda. Com os jovens de minha geração jogava pelada. Mas conversava mesmo era com um preto velho, que, imagino, não devia ter, na época, mais de uns 50 e poucos anos. Logo, não seria mais um velho atualmente.

Certa vez, curioso, me aproximei dele, que foi logo me saudando com um boa tarde. Lhe pedi licença e sentei ao seu lado, o que viria a ser uma rotina quase diária. Me disse ser analfabeto e não ter mais qualquer obrigação na fazenda. Devia, no entanto, ter trabalhado pesado. Manifestava cansaço. Vi que gostava de falar. Costumava passar boa parte das tardes sentado a certa altura de um dos morros, com muitas árvores a protegê-lo do sol. Ele, com seu inseparável cachimbo, permanecia ali horas a fio, com o olhar meio perdido por aquela natureza bem conhecida dele. Comecei a ficar seduzido pelas observações que sua idade lhe propiciava... A vida era o seu assunto preferido. Afinal, o que era a vida? E outras indagações se fazia: sobre o trabalho, o envelhecimento, a memória, a morte... Um filósofo. Sim, um filósofo analfabeto! Só, praticamente, o ouvia. Suas reflexões ficavam visitando minha cabeça, naquele lugar, afinal, de férias, de lazer. Mas sabia, já tinha idade para isto, da importância de suas palavras. Muitas delas permaneceram em minha memória até hoje. Palavras de um preto velho sem letras. Ao contar este episódio para a turma, meu aluno arredio encontrou o estímulo de que precisava para vencer a sua timidez, e falou! Não importava o que fosse dizer.

Minha avó também era analfabeta! Também me contava histórias! Fiquei mudo, voltado para ele. Gostava de ir à sua casa. Sempre tinha histórias para me contar. Sabe, histórias suas. Não escrevia, mas contava histórias. A gente, não é, não precisa saber escrever para contar histórias. Concordei com ele, com entusiasmo. E acrescentei: Pessoas que sabem escrever nem sempre sabem contar histórias. Você deve ter aprendido com ela a narrar as suas. Não me respondeu, apenas me fitava com atenção. Mas, e depois que não tinha mais avó? Ficou sem histórias? Aí já lia. Escolhia, então, suas histórias, certo? Sim. Não mais parecia querer falar. Tentei manter o diálogo. Não vai mais falar de sua história? — carregando no sua. Não está claro para você que passou a ter interesse pela leitura por causa das histórias que se habituou a ouvir de sua avó? Anuiu afirmativamente com a cabeça. E prossegui, estimulando-o a falar. Hoje, você um professor de Português! Sua avó não pode estar ainda presente com as histórias dela? Por que foi ser professor de Português? Percebi certa emoção nele. Que também era minha.

Ao final desta aula, fui ter com ele. Por que não intervém mais durante as aulas? Sinto que tem o que dizer, gostaria de perguntar. Sou muito tímido, muito mesmo, foi logo respondendo. Esta timidez me tem dificultado a vida, lá fora também. Até em minhas relações de amizade, entende? Um problema... Entendo, entendo bem, fui também um grande tímido. Você vai superando aos poucos: Tem o que dizer, não vai fazer feio, pois se expressa bem... Não tem lá seus sonhos? Ora, a timidez está sendo uma capa para se esconder. Como vão conhecer a você? Um professor, um colega, uma jovem simpática... Riu. Tímido precisa de estímulo, de elogio, eu sei bem. Não sei a força do que eu disse para ele, afinal, palavras banais. O certo, porém, é que, já na aula seguinte, sua atitude era outra, até na maneira de sentar. As perguntas, os comentários, muito pertinentes, logo vieram.

Vim a ter notícias deste meu ex-aluno: foi aprovado em concurso público, tem viajado com amigos, uma jovem capitulou à sua simpatia e educação. Soube ainda que defende, com vigor, suas ideias, pois tem a sua crença política e religiosa, e que se opõe, com contundência, a qualquer tipo de discriminação. E, uma alegria só!, confessou que o texto literário transformou a sua realidade, abrindo-lhe novas perspectivas. Uma vida toda pela frente, para poder correr atrás de outros sonhos, alguns, quem sabe, nascidos de suas leituras literárias.

Destinos distintos tiveram o preto velho filósofo e o meu ex-aluno tímido. Mas em ambos prevaleceu a força da vida: aquele não perdeu a sua capacidade de pensar o mundo, mesmo sem ter acesso (uma perversidade!) a textos filosóficos e literários, superando uma vida limitada e rotineira; este não perdeu a sua vontade de alcançar outros sonhos. Porém estou certo de que não terá esquecido as histórias contadas por sua avó, onde a vida começou para ele.

Ao entardecer da vida

Jogado num sofá, com o olhar voltado para o teto, Mário tragava seu cigarro. Pensava, dispersivamente, em várias coisas ao mesmo tempo. A vida parecia correr mais depressa, tinha alcançado uma idade avançada. Quanto tempo, afinal, lhe restaria? Aposentado há alguns anos, continuou, contudo, se ocupando, e até com elã. Levava um dia a dia em que se acumulavam interesses diversos. Lhe diziam, e ele sabia, que a falta de trabalho, depois de tantos anos na ativa, costumava acarretar depressão. Não podia negar que, ultimamente, certo desânimo o vinha incomodando. Limites físicos, cirurgias, próteses, medicamentos diários... E o cigarro! Como deixar, no entanto, de contar com a sua fiel companhia? Já perdera tantas... Os telefonemas escasseavam. As saídas se espaçavam.

Seu último romance foi publicado na virada do século. Depois disso, apenas um ou outro conto esparso, e rascunhos e mais rascunhos, a traduzirem tentativas vãs, mal avaliadas, de estruturar uma narrativa que tinha dentro de si. Também ministrava uma palestra aqui, outra ali, sem já muito entusiasmo. O romance escrito por último tinha até recebido algumas críticas favoráveis. Não podia se queixar. Mas caíra no esquecimento dos leitores, não engrenando outra edição.

Na verdade, Mário era reservado, cerimonioso, avesso a holofotes, a entrevistas... Gostava mesmo era de estar escrevendo, ainda que no seu blog, pois as cartas saíram de circulação. Pena, pois não é que a correspondência entre escritores famosos vem sendo publicada com interesse de muitos leitores! Embora extremamente determinado em seus objetivos, não se movia bem em alguns espaços, como o convívio com outros escritores e contatos mais assíduos com sua editora. Sim, um tímido, na verdade, era o Mário. Não lhe faltava preocupação constante com a família, ternura por companheiros, alguns de longa data, nem reconhecimento de que era admirado por muita gente, espalhada pelo seu mundo, como pessoa, primeiro, e também como escritor. Não deixava de visitar, às vezes, uns poucos amigos. Preferia, no entanto, as conversas a dois, sentado num mesmo bar. Mas se escondia quando não estava bem consigo. Nem por telefone queria passar desconforto, solidão, o desconcerto de sua vida em dado momento.

Deitado displicentemente naquele sofá, numa tarde arrastada de um domingo desses, vivia um dos dias em que não queria falar ou ver ninguém.

Era só ele, seus cigarros e seus pensamentos esvoaçantes, como a fumaça que se esvaía. Nem a música, outra fiel companheira, se fazia então presente. Dominava-o, de uns meses para cá, certa apreensão: que fazer, como se ocupar no tempo de vida que lhe restava? Atravessando um período mais longo de desalento, queria afinal viver e — se indagava várias vezes —, continuar mesmo a viver até o fim, em seus limites, impostos por seu temperamento um tanto arredio e pela própria idade? Passava por períodos em que se angustiava com tal indagação.

Não podia fugir mais de responder a ela, pois estava se angustiando muito. A tal hora da verdade, da sua verdade, parecia ter chegado. Não havia como Mário protelar o ouvir o seu eu interior, sem fugas desgastantes. Era a oportunidade de voltarem a dialogar. Que relação perversa esta que se havia estabelecido? Afinal, Mário, indaga seu eu interior, o que está acontecendo com você, que fica escapando de mim, como se eu estivesse a lhe cobrar alguma coisa que não fosse de seu desejo? Escamotear de mim? Foi-se o tempo em que você julgava que isto fosse possível! Não sou seu analista, faço parte de você.

O envelhecimento é do processo da vida, Mário, esqueceu? Sempre falamos sobre isto. Ante certos sustos ou limitações vivenciadas com o avanço do tempo, bate mesmo o desalento. Mas o seu, para o homem determinado que é, não lhe está parecendo demasiado longo, que já está na hora de você retornar à vida, aos seus escritos, às suas conversas presenciais e virtuais? Aos filmes e aos concertos? Às suas caminhadas matinais, que tornavam suas taxas, de análise do sangue, invejáveis, apesar de todo o tabaco? Ninguém, claro, sabe tão bem quanto eu quem é o Mário. Você é um tímido sim, pouco à vontade, é certo, em algumas situações, mas não um sujeito em briga com a vida, muito ao contrário, sempre uma pessoa que exaltava o milagre da vida. Como, então, deixar de viver em vida? Logo você, uma pessoa com interesses tão diversificados?

Mário, na verdade, vinha ouvindo mesmo pouco o seu eu interior, como se quisesse desligar-se da vida, do que ela poderia ainda lhe proporcionar. Naquele domingo, contudo, tomado por extremo desânimo, desorientado ante a vida que lhe restava, voltou-se, enfim, para o seu eu interior, que, sempre presente, estava atento às reações meio suicidas de Mário.

Não consigo dar continuidade ao meu romance, parecia confidenciar ao seu eu interior, como se tal se fizesse necessário. Ele já nasceu, retrucou este. Falta só você passar para o papel. Meu organismo está rateando cada vez mais. Nada que não tenha conserto. O mundo tecnológico avança quase cada dia. Mas, você, Mário, está aí nas redes sociais, maneja bem os caixas eletrônicos, com todas as senhas memorizadas. Ele escutava com atenção as intervenções do seu interior. Sua família está com você, seus amigos, mesmo com seus afastamentos. Seu medo de morrer o está paralisando? Não, não, exclamou Mário. Ao contrário, meu medo é viver sem viver! Viver sem autonomia de viver, isto, não quero não. Não acha que está levando, nestes últimos meses, uma vida com quase nenhum interesse? Como fica a autonomia de viver? Pronto, pronto, paremos por aqui: amanhã retorno às minhas caminhadas e vou, à tardinha, assistir a *O lado bom da vida*. Sei que o Carnaval mudou muito, já quase não me agrada, porém, amanhã saio "Simpatia é Quase Amor". Não custa espiar, não é?

É a vida

Certo dia do final do ano passado, senti, como poucas vezes, o que é a vida. Participei de duas situações sucessivas que iriam me provocar reações opostas. Na parte da manhã — o dia anterior já fora de tristeza — participei do velório de uma amiga querida, de anos; à noite, estava eu comemorando o aniversário de outra amiga querida, de anos também, num ambiente tomado pela alegria, e cercado de pessoas muito companheiras. Vida que corre, vai nos trazendo, em seu mistério, momentos e emoções tão díspares, em cadeia, sem tempo para assimilarmos os fatos assim vividos. Dor e divertimento. Perda e permanência. A perda de um amigo é sempre sofrida. Cada amigo é diferente dos demais. Cada amigo é único. Nas conversas, na cumplicidade, nas afinidades, na própria linguagem usada. Perde-se assim o amigo, não um amigo. Ao perdê-lo, como que se cria em nós aquele vazio. Ficamos mais sozinhos. Não há como evitar. Com quem falarei agora dos meus medos? Tinha tantas perguntas a fazer à amiga que velara naquela manhã... Estávamos nos vendo pouco.

Algumas conversas ao telefone. Com quem esclarecer minhas dúvidas não manifestadas a ela? Por que nunca tocávamos mais num assunto tão nosso? Perder uma interlocutora como ela é perder um pouco a vida. Mereço receber pêsames.

Fui para a festa consciente de que tinha de ir preparado para uma reviravolta. Um outro mundo. Um outro clima. Outras emoções. De início, muito difícil. Não queria passar para ninguém o meu sofrer. Aos poucos, me esforçando, fui entrando naquele cenário novo de entusiasmo, de confraternização, de algazarra. Não mais de vozes abafadas, de veludo, mas de vozes altissonantes, de regozijo. Os amigos manifestavam seu júbilo de estarmos ali reunidos, gostavam de vivermos juntos aquele momento, num ambiente até meio mágico de compartilhamento. Como passar minha dor? Como não manifestar também a minha alegria? Falar alto e feliz? Ao sair, na hora em que pude sair, a vida lá fora corria. Transeuntes, carros, ônibus, uma chuvinha miúda a embaçar os meus já embaçados óculos. Nem dor, nem alegria. Caminhava a esmo pelas ruas molhadas.

Guardarei estes dois momentos daquele dia, mesmo quando um tanto diluídos pelo passar do tempo. Afinal, a vida é isto e aquilo. A morte esfriou a festa, e a festa ressuscitou a vida.

A vida nas diferenças

Mais vivido, mais calejado com e pela vida, vou me sentindo, no dia a dia, mais certo e seguro de que o viver está, essencialmente, na sabedoria de conviver com a diferença, não com a igualdade.

Mas que coisa difícil conviver com as diferenças! E ao mesmo tempo, como ser diferente e estar com o diferente é, em muitas situações, esplêndido. Sensação de bem-estar, de encontros com papos surpreendentes, de aprendizagem, de visão ampliada do mundo e da diversidade humana. Acho que a sociedade, em seus grupos, vai mesmo incutindo na gente que ser diferente, ou frequentar o diferente, pode pegar mal. "O que vão pensar os vizinhos?", pergunta que ouvia com regularidade desde adolescente lá em casa, por sair vestido de uma maneira, por estar em tal ou qual companhia ou por namorar aquela moça, por discutir em voz alta com uma pessoa da família, por empregar termos não ditos por pessoas educadas, tudo isso já não era uma palavra de ordem para não passar por diferente, ou seja, para não causar alguma estranheza e mesmo desaprovação? E os vizinhos não teriam as mesmas atitudes de precaução? Nada de ser muito diferente para uma presumível igualdade de conduta social, era o recado. Viver, assim me pareceu desde cedo, era meio complicado, enervante, sujeito a observações constantes, cerceadoras de várias iniciativas mais espontâneas.

Não há, no entanto, como negar: vivemos cercados pelo diferente, levamos a vida em contato com diferenças de toda sorte, que nos impulsionam sim a estar sempre aprendendo. Como, eis o problema, se consegue viver em meio a tantas diferenças, de vozes — sobretudo as ideológicas —, de classe social, de raça, de cultura, de credo, de faixa etária, de orientação sexual...? Mas como querer entender o homem sem as diferenças, que garantem sua unidade essencial? Só a partir de certo momento de minha vida, comecei a usufruir, seguramente por procurar a companhia mais assídua de conhecidos bem diferentes de mim, culturalmente, profissionalmente, economicamente... Passei a contar, fui constatando, com alguns parceiros para conversas interessantes, proveitosas, sobre visões de mundo bem diferentes. Que trocas de experiências comecei a ter! Ia me tornando mais humilde, mais tolerante, menos centrado em alguns dos meus valores tidos como intocáveis. Minhas metas de vida eram, afinal, apenas minhas. As dificuldades de escrita, por exemplo, que me incomodavam, pela minha atividade profissional, e até, confesso, me afastavam de pessoas, passaram, então, naqueles contatos tão profundamente humanos, a me afetar cada vez menos, ante a lucidez e a sabedoria destas pessoas. Não estou eu aqui a negar o valor da escrita, de modo nenhum. E como ela seria útil a seres tão abertos para a vida! Uma perversidade, das mais graves, deste nosso falido sistema educacional. Como me ensinavam, com seu letramento precário, sua atividade cultural limitada, a compreender outros objetivos do viver! Alguns me davam a impressão de conhecerem mesmo a vida por dentro... Conversas com iguais, às vezes, só nos trazem o já conhecido, o já sabido, o já tantas vezes repetido. De uns tempos para cá, escapo, quanto posso, destes encontros mal marcados. Falas previsíveis, dominadas, não sempre, pelo eruditismo, pelo exibicionismo de querer mostrar mais saber, pelo relato de façanhas acadêmicas... Um samba de uma nota só! Nenhuma preocupação com o companheiro. Como você está? Conhecer e saber viver com as diferenças nos faz ver melhor o quanto a vida com nossos iguais pode ficar sem graça, sem vida... Não imagino passar o que me resta da existência no convívio apenas com pessoas da minha classe social, sem ouvir relatos a que, anos atrás, não tinha ouvidos para escutá-los.

Por que algumas diferenças nos tocam tanto, a nós, falsa e preconceituosamente, superiores, chegando a nos afastar de muitas pessoas, aprioristicamente? A cor da pele, o grau de escolaridade, a profissão, o local de moradia, a orientação sexual... O que tais pessoas têm de errado? Por que gente humana incomoda gente humana? São criminosas de alguma maneira? A pretensa elite da sociedade, às vezes, prefere fingir que não existem. Por quê? Por quê?

Não sou historiador, muito longe disso, mas um olhar rápido pela história do nosso país nos proporciona a visão clara de uma trajetória, em grande parte, marcada por lutas, algumas violentas, contra a discriminação: do negro (e do índio), da mulher, do iletrado, e, mais recentemente, do homossexual. Uma sociedade, com tantas discriminações, teria de ser altamente preconceituosa, até hoje! Comum ouvir: eu não tenho preconceitos! Mas, ao se referir, no entanto, a um grupo de pessoas numa praia da Zona Sul da cidade, comenta: "Parece que os ZNs hoje vieram todos à praia!" Ou como acontecia em tempos idos, meus tempos, a frequente, grosseira e desumana avaliação: "Ele tem alma de branco", proferida, às vezes, por uma pessoa religiosa... Ou ainda em comentários pretensamente mais sutis, para pessoas afastarem de si qualquer ameaça de serem considerados discriminadoras: "Fazemos até, mensalmente, doações para uma comunidade carente!"

O preconceito é sempre redutor, limitador de nossa visão da vida e do ser humano. Restringe a nossa humanidade, nos empobrecendo como pessoa. Vivemos ainda em uma sociedade muito acuada ante certas diferenças. Noto que muitos alunos têm dificuldade de se aproximar dos seus professores, embora dividam, por algum tempo, o mesmo espaço físico e de interesse comum. Vencer preconceitos é trabalho árduo, de cada um, que requer, antes de tudo, vontade de redirecionar a vida, social e afetivamente.

Na arte e na vida

Fui assistir ao musical sobre a vida e a obra de Tim Maia. Difícil de adquirir um ingresso. Lotação esgotada até o final da temporada. Não o considerava tão popular. Total desinformação minha. Mas quem tem amigos... Me conseguiram um excelente lugar. Vip, talvez. Dele, pude acompanhar melhor um espetáculo alegre, a exalar sensibilidade para todos. O grupo parecia transbordar de energia no palco, de emoção, de competência, de consciência do papel que cada um ali representava: um amigo, uma namorada dele..., em contextos muito diversos, desde sua infância, até a sua morte, em Niterói. À frente do elenco, com atuação excepcional mesmo, Thiago Abravanel, a quem eu não conhecia. Voz e interpretação que tocavam a todos os presentes. A partir de certo momento, se tem a forte sensação de que ele incorpora a figura do nosso cantor, na aparência física, no jogo de corpo e nas canções mais conhecidas do repertório de Tim Maia. Eu disse a mim mesmo, lembrando Guimarães: ele não morreu! Ficou encantado! Como o Tim compôs músicas lindíssimas, que o público não podia mesmo esquecer, perpetuando-as! O espetáculo reúne, com talento e fino apuro artístico, a beleza das melodias, pitadas recorrentes de humor (afinal, como silenciar sobre a conhecida irreverência do cantor?) e de tristeza sim! Uma vida preciosa a se perder, e, diria, um halo de magia, sempre de explicação difícil. Mas a plateia, inebriada, que lotava a grande casa de eventos, a assimilava, aplaudindo em cena, várias vezes, o que aquele grupo, do palco, lhe passava. O teatro reunia pessoas de todas as idades, testemunhas privilegiadas de um dos melhores musicais a que já tinha assistido certamente por aqui.

As pessoas, de faixas etárias bem díspares, reagem, todas, com contagiante entusiasmo pelo espetáculo. Sentou-se, ao meu lado, uma senhora de idade bem avançada. Noventa anos? Foi conduzida ao seu lugar por uma jovem, também senhora, talvez — imaginação minha! —, sua filha, que ficou umas fileiras atrás. De imediato, espetáculo ainda não iniciado, nos olhamos simpaticamente. A partir deste momento, passei a me considerar um pouco responsável por ela. Falava com seus olhos azulzinhos, leve sorriso denunciado pelos lábios. Não se conteve e acabou me indagando, com sua voz ainda bem firme: O senhor gosta do Tim Maia? Sim, respondi-lhe, pela sua voz e por algumas de suas canções. Eu também, como a me confidenciar. Começado o musical, vez por outra, com o canto do meu olho esquerdo, olhava para ela. Embevecida, olhos a brilharem, boca entreaberta. Ela conseguia também me emocionar. Dividido fiquei entre o palco e a minha vizinha. Que espírito jovem! Já no final do show, Thiago Abravanel canta trechos das músicas mais tocadas de Tim Maia e pede ao público que o acompanhe. Minha adorável vizinha, baixinho, mostra saber as letras. A alegria e o encantamento tomam conta da plateia. Palmas calorosas ao término, a que a minha senhorinha não deixa de aderir. Fim do espetáculo. Três horas de duração! Me levanto e ajudo a companheira a se por de pé, com o zelo de que ela era merecedora: aquele espetáculo tinha me conscientizado mais de como o mundo, realmente, nos está tantas vezes presenteando com emoções fundas, vindas de situações diversas, até simultâneas, e algumas, inesperadas; e nós, com frequência, desligados de como este mundo, a cada passo, tenta nos seduzir com belezas triviais do nosso dia a dia. A vida corrida não nos dá tempo de sermos seduzidos por elas. O nosso lado competitivo que nos joga na agitação, (e no medo!), nos abafa a própria vida. Antes que sua presumível filha a ela chegasse, beijei-lhe as mãos. Feliz mesmo, me confidencia uma vez mais: muito bonito, emocionante. Sim, confirmo eu: muito bonito e emocionante. A senhora também é muito bonita e emocionante. E ela me beijou as faces. Beijo de sincero afeto, por aquela cumplicidade tão terna, tão discreta, que se estabeleceu entre nós. A doce figurinha permaneceu, até hoje, em minhas retinas. Momento de arte, momento de aprendizagem.

A rua não esquecida

A rua em que morava durante a minha infância e adolescência era tranquila e movimentada, ao mesmo tempo. Tranquila, como a maioria das ruas, à época, aquelas por que não passava transporte coletivo. Os carros se constituíam em privilégio de uma minoria. Não existia ainda a nossa indústria automobilística. Sim, tempos bem antigos... Dominavam as casas, não luxuosas, mas amplas, arborizadas, com quintais bem espaçosos, algumas com jardins floridos. Sempre senti uma atração especial por árvores. Talvez por morar em apartamento, de onde via, com inveja, colegas, nas moradias vizinhas, subindo nas árvores para brincarem e saborearem as frutas colhidas delas. Dava para conhecer quem morava em cada casa. Edifícios? Uns quatro apenas, de três andares. Que elevador, qual nada! Este luxo era mais para o Centro da cidade ou para edifícios da Zona Sul. Nenhuma loja comercial, tipo de estabelecimento que se espalhava apenas pelas ruas principais do bairro. Eta saudades! Mas não acho que "a saudade mata a gente", como diz lá uma música famosa do nosso cancioneiro popular. Saudade é sentimento nobre, que nos faz lembrar de pessoas ou momentos que ficaram com a gente.

Mas a rua tinha muito movimento, muita distração. Funcionava como um clube. Ali se reunia um grande grupo de jovens, moças e rapazes, a que se juntavam outros vindos de ruas vizinhas. Quintais generosos de algumas casas nos acolhiam para jogarmos vôlei e pingue-pongue. As peladas eram mesmo na rua, com paralização esporádica para passar um carro. Quase todos, um dia, quebramos uma vidraça com a bola. Ninguém assumia a culpa, ninguém acusava ninguém. Ouvia-se a merecida descompostura do morador em silêncio respeitoso... Que responder? Uma das casas se abria, às vezes, para assistirmos a um filme, numa tela colocada na garagem. Fora dela, ficavam os bancos. Na verdade, não conhecíamos os donos da moradia, uma das melhores da rua. Gente rica, se comentava. Tinham um carro americano. Visíveis sinais de gente de dinheiro. Que pessoas generosas!, ficava eu pensando. Nem me lembro se viam o filme com a moçada. Sim, tinha também os bailes para festejar qualquer data, ou até mesmo por nenhum motivo especial. O importante era estarmos juntos, batendo papo ou dançando. Não carecia de convite. Era abrir o portão e entrar... O cigarro entre os dedos de quase todos os rapazes. Entre as moças, era raro. Se havia campanha na época, sem dúvida, era a favor do cigarro. Fumar e charme se afinavam. Como ser bom jogador nas peladas: o cara assumia ares de superioridade! Nunca pude assumir estes ares... Gostava de jogar futebol, mas jogar bem... Os sarados não existiam praticamente. Um ou outro levantava halteres. Quase todos estudavam, cursando o ginásio e o científico. Muitos se mostravam estudiosos, sabíamos quais eram: não estavam na rua o dia inteiro, vadiando. Alguns colegas já trabalhavam. Vida dura! Não era costume sair da casa dos pais antes do casamento. As moças, então, nem pensar! Costumávamos frequentar o Maracanã, a que íamos e de onde voltávamos a pé. Melhor não poderia ser! Mas, escolhíamos, do grupo, um colega como acompanhante. Torcer, ocupar certo lugar na arquibancada, hora de sair de casa, eram rituais muito individualizados. Cumplicidade difícil! Não, não havia violência nas arquibancadas. Num início de tumulto entrava logo a turma do deixa-disso. Os jogos no Maracanã acompanhariam, aliás, toda a minha vida. E sempre com meus rituais, envoltos, penso, em alguma superstição. Me extasiava com o espetáculo, de cores, fogos e estribilhos, nos dias dos grandes jogos. A paixão por um clube nos levava aos extremos de um regozijo intenso ou de um desalento paralisante.

Um ou outro personagem frequentava a rua. Me lembro de dois. No verão, um sorveteiro, o Baiano, entrava pela rua, anunciando o sorvete da noite. Era um produto artesanal, uma delícia, que se distinguia dos triviais picolés da Kibon. Tal o silêncio reinante na rua, que, mesmo morando em apartamento de fundos, se podia ouvir o anúncio do Baiano: oh, gente, hoje é de abacaxi, de manga... Muitos saíam de suas casas para comprar o sorvete, servido na hora. Me ficava a impressão de que o Baiano conseguia vender todo o seu produto na rua. Outro tipo não se anunciava. Todos sabiam a que horas chegava, com seus doces, biscoitos... Finalzinho da tarde. Fazia ponto em frente ao edifício em que eu morava. Muita tentação para jovens gulosos! Se tornou companheiro da moçada. Em pouco tempo, o fiado virara costume. Penso que ele ia anotando em um caderninho. Tudo se tornava motivo para parte da turma se reunir, deixando os estudos de lado.

Na rua, ao que me lembre, havia duas casas de cômodos, termo de emprego corrente na época. Casas que alugavam quartos, onde vivia um casal, uma pessoa e mesmo pequenas famílias. Acontecia de poderem ocupar dois quartos. Gente humilde as habitava. Coexistiam, então, na mesma rua, com as pensões; estas já tinham moradores de nível social diferente. As casas também apresentavam uma outra aparência, mais cuidadas, serviam refeições a seus inquilinos. Uma das casas de cômodos era colada ao prédio em que residia. De uma das janelas, podia se ver os cômodos do fundo da casa, fora do seu espaço principal. Tinha lá uma gerente, chamada sempre de dona. Vejo hoje como era democrática a convivência destas casas com a vizinhança. Sem dúvida, que, ao se falar "ele mora na casa de cômodos", se percebia sim uma apreciação desvalorativa por parte de famílias metidas a besta. Mas jovens que lá moravam participavam, sem problemas, de alguns folguedos nossos. Colegas residentes nessa casa já tinham de lutar, e muito, para ajudar no sustento de suas famílias. E se impunham ao nosso respeito. Na casa ao lado, dois amigos, de pele escura, com quem compartilhava muito do meu tempo. Fui ao cômodo de um deles, que dividia o espaço com seus pais. Pessoas educadas. Como ele, às vezes, também me visitava. Creio que esta vivência, afinal, foi muito importante para minha formação cidadã, contribuindo para que não chegasse a se criar em mim o arraigado e abominável preconceito racial, o que foi fundamental, em termos de vida social e profissional. Em caso de namoro com um ou uma jovem da casa de cômodos, as famílias, ou seja, os adultos, manifestavam sua contrariedade! O preconceito alimenta o medo, o medo do diferente! Como será a vida do meu filho, se este namoro pegar? Como o preconceito, qualquer que seja, a vida me foi ensinando, é reducionista! Sim, ele separa, ele distingue os seres humanos justamente em sua condição humana, por rejeitar um traço da identidade de milhões e milhões de seres humanos: raça, nível social, religião, sexo, físico... Os preconceituosos mais contundentes são, por isso, os menos humanos deste planeta. É de observar que, naquela rua, a grande maioria pagava aluguel, apenas de um imóvel melhor. Longe, muito longe, da época dos financiamentos da casa própria. As famílias pertenciam a uma classe média baixa. Não era o caso, pois, de fortunas que pudessem se sentir ameaçadas!

Com o correr da vida, fomos nos afastando da nossa rua, por motivos diversos da própria vida. Mudei, com minha família, para uma rua vizinha, mas a rua anterior foi se esvaziando, os companheiros não se encontravam mais lá. Alguns debandaram antes de mim. Não ocorriam, percebo hoje, despedidas. Simplesmente, ou estranhamente, saíamos. Velha dificuldade de se despedir? De acenar para a mudança na vida? Tinha embaraços de visitar a minha rua, apesar de tão pertinho. Uma sensação desagradável de tempo extinto, embora tão recente ainda. Não mantive mais contato com ninguém, a não ser, muito esporadicamente, com uma família, e por um período curto. Os caminhos da vida nos distanciaram, em definitivo. Por um ou outro anúncio fúnebre, tomava conhecimento da morte de um companheiro. Mas continuo bem lembrado da maioria. A memória reteve todos aqueles anos de coleguismo, de convivência diária, de aprendizagem de tantas coisas essenciais, anos de formação, enfim. Foram 13 anos de crescimento físico e humano, de prática constante de sociabilidade em seus múltiplos aspectos. Como esquecer este momento crucial de minha existência? E desta rua? Não há como!

Ah, o nome da rua não esquecida? Rua Aconchego.

Um pai preocupado com o vernáculo

Meu pai só tinha instrução escolar elementar, obrigado que foi, muito jovem, a deixar sua terra natal, como tanta gente por este país, para tentar garantir, em centros urbanos maiores, sua subsistência e ajudar um pouco as irmãs. Minhas tias permaneceram na terra de Iracema, "a virgem dos lábios de mel", como ele gostava de repetir, em tiradas, me parecia, para impressionar, embora fosse homem bem simples e não fosse leitor de Alencar. Este não escrevia obras que o seduzissem, ainda que cearense.

Procurou, inteligentemente, suprir esta deficiência educacional se aproximando de pessoas mais velhas e cultas, sendo estimulado a ler romances e contos. Machado foi o autor que lhe caiu nas graças. Comentava comigo, sem ter eu ainda condições de entender, que o bruxo do Cosme Velho (se valia deste epíteto) é que penetrava na alma humana, se reportando aos "olhos de ressaca" de Capitu... Naquela altura, nunca tinha lido nada de Machado, aluno do então ginásio, com lá os meus 13 anos ("olhos de ressaca"?, Capitu?). Mas o ouvia, a ponto de guardar, até hoje, suas expressões literárias. É verdade, tinha o hábito, aos domingos, de ler, com muito prazer, o suplemento literário de um jornal, quando se inteirava de críticas, notícias de livros e de eventos. Chegava a recortar alguns textos e colá-los nas páginas de um grande caderno. O que meu pai idealizava era tornar-se um intelectual, faltando-lhe, contudo, a base necessária para aprofundar suas leituras, o que, até certo ponto, conseguiu, já depois de certa idade, quando, aposentado, dispôs de mais tempo. A vida não é fácil, nada fácil... São tantos os desencontros!

Tinha a curiosidade de conhecer pessoalmente escritores de sua época. Para tanto, ia a certas livrarias onde sabia poder encontrar alguns, ainda que se mostrasse tímido em dirigir a palavra a um deles. Mas, me ia descrevendo os que encontrava, quem conversava com quem, palavras trocadas. Uma procura, em suma, persistente pela intelectualidade. Conhecer, frente a frente, os escritores, passar rente a eles, ficar lá em seu êxtase.

Tinha, como servidor público que foi ao longo de toda a sua vida, e de que tanto se orgulhava, sempre compenetrado de exercer uma função pública (verdade sim!), a preocupação, ainda mais com os seus contatos com o mundo intelectual, com o escrever como as pessoas cultas o faziam, aspiração que todo cidadão devia ter, em uma sociedade como a nossa. Vivia afogado em suas permanentes dúvidas vernáculas. Evidentemente, passei a entender, poucos anos depois, que não o ficava ouvindo impunemente, digamos. De fato, passado algum tempo, eis-me debruçado também (não podia ter outro resultado!) sobre o vernáculo, já com um olhar diferente.

Meu pai se tornou algo obsessivo em suas dúvidas, quando escrevia algum texto para o trabalho, trazido para casa, ou cartas, costume da época. Tem crase ou não, esta concordância está certa, esta palavra fica bem? Uso ou não a vírgula aqui? A vírgula era um dos seus terrores! Não tinha condições de esclarecer nada a ele, de modo nenhum. E ainda me ajudava nas redações do colégio, apesar de sua notória insegurança.

Percebi, a partir do ginásio, que, no boletim mensal, corria os olhos pelas notas sem sobressaltos, só fixando a atenção na nota de Português, e um pouco na de Latim, pois, me dizia seguro, para saber escrever bem é preciso ter uma base de Latim. Diga-se que ele possuía apreciável capacidade expositiva, pena que as questões gramaticais, no fundo, não o deixavam escrever com mais assiduidade, para não se atormentar tanto. Mas redigir, eu sentia, lhe dava prazer, que ele, pudera!, perdia em parte, em razão das crases, das vírgulas e tanto mais. Ainda bem que não tinha, pelo menos, nenhuma obsessão classificatória. Ainda bem, ainda bem, senão meu pai enlouqueceria (futuro do pretérito, epiceno, silepse...), num tempo em que não se contava com a NGB. Cada autor quase com sua nomenclatura.

Fui parar num curso de Letras! Poderia ser outro, vivendo um dia a dia gramatical? Mas não havia como ajudar meu pai, que depositava em mim grandes esperanças de ir lhe quebrando os galhos textuais. O estudo do grego me ocupava a maior parte do tempo, juntamente com a leitura dos autores latinos. Depois veio a Filologia Românica (faz tempo!) e, enfim, a Linguística! Meu pai começou a se mostrar surpreso com algumas respostas minhas: este uso não é obrigatório, depende da situação, sua linguagem está muito formal para uma carta ao irmão... Coitado do meu pai: ele queria apenas, no caso da carta, mostrar para o irmão, que era advogado, como ele estava escrevendo bem, ainda mais agora que podia contar comigo... Mas eu não tinha apreendido a intencionalidade da sua escrita. Alienação de um iniciante nos estudos linguísticos, empolgado com seus novos conhecimentos, em que não sobrava lugar para os quebra-cabeças de um homem que queria, por que não, tão somente impressionar um irmão intelectual. O que me custava baixar àquela realidade concreta e ajudar o meu pai, dando-lhe respostas firmes em suas indagações sobre o vernáculo? Só mesmo o tempo, a vida, nos vai fazendo ver que a ciência acumulada, algum esnobismo mesmo, nos pode tornar pouco humanos.

Uma entrevista

Outro dia assisti a uma entrevista na televisão que me emocionou. Comecei a vê-la, quando ela já se iniciara. Sou pouco ligado em televisão, e portanto a seus programas e horários. Nenhum preconceito. Apenas prefiro outras formas de entretenimento. Custei um pouco a entender o teor da entrevista. Mas logo fiquei muito sintonizado com a entrevistada. Uma senhora, diria jovem, a falar de uma maneira sedutora. Facilidade de expressão, firmeza em sua explanação, uma firmeza com certa magia, com doçura. Nenhum vestígio de arrogância ou prepotência. Me pareceu uma pessoa especial, muito especial, que não era propriamente bonita, mas que me encantava com sua beleza. Me inteirei do teor da entrevista: de início, era uma médica, e, por alguns anos da sua carreira, pediatra, ligada a uma universidade paulista. Exercia a função de chefia ou de coordenação do setor de pediatria. Certo dia, uma criança, de seus oito anos, sofrendo de câncer, lhe diz: quer tratar de mim? Ela, surpresa, responde, carinhosamente, que não podia, não era sua especialidade. O menino lhe responde, chorando: não tem importância, quero me tratar é com a senhora. O que eu quero é a senhora. Ela conseguiu se afastar da criança, visivelmente emocionada. O pedido, quase súplica, do menino, seu choro, a mobilizaram de tal modo, que ela não conseguiu mais trabalhar naquele dia. E não conseguiu continuar sua trajetória profissional. No dia seguinte, não teve como evitar uma decisão séria em sua vida de médica. É, vou ter de atuar em outra especialidade, se flagrou falando em voz alta. E abraçou a oncologia, tornando-se uma das maiores cientistas brasileiras no tratamento do câncer infantil. Sua exposição era de uma criatura iluminada, muito feliz com o que fazia. Se desprendeu da universidade, passando a atuar em outro órgão governamental. À universidade, confessa, faltavam condições para ela desenvolver seu trabalho numa linha que nortearia sua atividade. Faltava, sobretudo onde trabalhava, enfatizou bem, generosidade com os pacientes. Sempre com muito equilíbrio, sem que faltasse emoção em suas palavras, contou: valeu a pena ter eu mudado de especialidade. Converso com as crianças sobre a doença delas. Perdas sim, mas acompanhamento carinhoso até o fim, em casos de impossível tratamento. Com uma expressão de extrema felicidade, contagiante, esclarece: aquele menino que mudou minha vida hoje é um dentista, casado, com filhos. A generosidade é também arte, pois arte é sempre doação. Sua entrevista também foi uma manifestação de arte: ela se doou a nós, telespectadores, com a emoção da sua narrativa, a nos envolver com a arte da humanidade da sua vida.

O *encontro*

O casal passou a frequentar o restaurante. Chegava de mãos dadas, procurando uma mesa num dos cantos. Os dois não eram mais jovens, nem ainda idosos. Vestidos com simplicidade, sentavam frente a frente, raros gestos, os essenciais: as mãos continuavam dadas, os olhares fixos um no outro. Um ar de mistério envolvia aqueles encontros. Palavras? Para quê? Apenas o homem dirigia algumas ao garçom habitual. Não havia narrativa verbal. Não podiam perder tempo com palavras. O amor não precisa delas, pode prescindir. Em certos encontros, não há amor que resista ao desgaste das palavras. Qualquer conversa quebraria aquele pacto, aquela magia. Um encantamento sublime é que os unia. Não deixava de ser, por que não, uma vivência estética, ler o outro, em momentos regados de sensibilidade. Cada encontro, novas percepções. A vida é você, "Prometo te querer até o amor cair doente, doente...", parecia escutar um dizendo para o outro. Amor cuidadoso, delicado, o olhar e as mãos não se soltavam. Nada ao redor parecia existir. Nem a comida a ser compartilhada, nem a agitação e o vozerio forte das pessoas. Discretos chegavam, discretos permaneciam. Fico a imaginar a vida para eles lá fora, agitada, perigosa, nada discreta, preconceituosa, relações conturbadas, e o casal exposto, sobretudo aos que não conseguem amar! Mãos dadas? E o olho no olho? E a cumplicidade do restaurante? E como ficaria o tempo e o espaço para eles? Tantas suposições! Temerosas! Ah!, sim, pela vida lá fora! Um permanente espantar-se diante do assombro do mundo, a nos causar sempre sentimentos de toda ordem: esperança e medo, ternura e rispidez, prazer e frustração, discrição e censura, compreensão e intolerância, silêncio e discussão... Enfim, a vida como ela é, com raros oásis. A cada saída dos enamorados do restaurante, ficava inquieto, preocupado com aqueles dois, devotos do amor. Ele é belo. O Amor e a Beleza não são irmãos? O que seriam? Conseguiriam manter-se, apesar de tantos desafios do mundo, no seu encantamento, ligados fortemente àquele mundo de delicadeza que criaram? Invisíveis? Como numa névoa a protegê-los do olhar dos outros? Como eu gostaria de encontrar o casal num jardim, livre, solto! Afinal, Deus, dizem os textos sagrados, não criou o universo para nele plantar um jardim?

A *mangueira*

Ao passar, certo dia, pelo portão da casa onde leciono, no início de mais um semestre letivo, levei um susto, diria que fiquei chocado. Vi, lá no fundo daquele jardim de cimento, a mangueira solitária e altaneira, podada cruelmente. Morcegos? Não importa. Estava ela ali, desnuda, minha companheira. Sim, da minha sala de aula, por uma janela ampla, ficava como colado a ela, arriscando umas conversas, que se foram tornando habituais. Desde cedo, admirava as árvores. Esta humanizava aquele mundo de cimento, que pesaria agora mais sobre mim. Ao fixar de perto o que lhe restou, uma figura alta, sem vestes, com os cabelos soltos, senti seu aflito constrangimento. Procurava não me encarar. Minhas aulas não serão mais as mesmas, murmurei. Não podiam ser! A mangueira me tinha ensinado muito nestes quase três anos de cumplicidade. Me humanizou, me deu uma consciência maior do que pode o ser humano. No meu convívio com ela, eu me tornara mais forte, pois mais integrado com o mundo. Me fez lembrar do Manoel de Barros: "O olho vê, a lembrança revê, e a imaginação transvê. É preciso transver o mundo." Aprendi a transver o mundo com a minha mangueira. Já a considerava minha. As aulas eram mais motivadas, com sua presença permanente ao meu lado. Os alunos, não creio que percebessem nossas trocas de olhar, os instantes em que me distraía... Nem eu ficar na sala durante o intervalo. Só ela e eu.

Mas não precisou de muito tempo para a minha mangueira mudar, claramente, a sua relação comigo. Desnuda, aquele seu constrangimento inicial ia desaparecendo. Sim, adotava agora uma postura sedutora, a se orgulhar de seus encantos femininos. Fui ficando embaraçado. Que situação! Os alunos acabariam por denunciar aquele jogo erótico! Difícil as aulas para mim! A nossa relação tinha mesmo mudado, era bem outra. Aquele companheirismo casto se transformara em uma magia de desejos. Ela assumira, sem nenhuma timidez mais, o seu corpo sensual, com seus cabelos esvoaçantes, os poucos galhos, os mais altos, que seu tronco ainda sustentava. Me encarava sem disfarces. Me perdia na sequência das aulas. Como fugir de seu assédio? Numa das aulas, tinha prometido à turma que leria, para analisar, alguns poemas. Me esforçava por uma leitura expressiva de um Drummond, de um Bandeira, de uma Cecília... Atento sempre às reações da mangueira, muito mais do que às dos alunos, comecei a observar outra mudança de comportamento dela. Se aquietara, absorvida talvez pela emoção poética. Chuvinha miúda caía, ela se encolhia com a friagem, seu semblante, ora desarmado, ora triste. Vez por outra, gotas grossas pingavam, com as do chuvisco. Sua postura de sedução cedia a de uma ouvinte tocada pela magia das palavras. É, dizia para mim, já mais calmo, o Rubem Alves está certo: "Leia poesia para ver melhor. Leia poesia para ficar tranquilo. Leia poesia para ficar mais bonito. Leia poesia para aprender a ouvir."

Com o tempo, se apresentava, de novo, coberta, resguardada pelos seus galhos prenhes de folhas e de... frutos. Estes, com uma suave brisa, pareciam brincar entre si, cada um como que em uma cadeira de balanço. Era fascinante admirar, então, a alegria indisfarçável da mangueira. Seu ar de realização, o seu estar bem com a vida.

Também as mangueiras atravessam seus ciclos existenciais. É só termos olhos para ver, para ir acompanhando, o que faz a gente sentir mais a vida, e voltei a ser aquele professor envolvido, sobretudo, em transmitir a força e a beleza da vida aos meus alunos.

O ensino da língua: entraves de ontem e de hoje (I)

Tive um professor de Português, no ginásio (sim, há um bom tempo!), que me fazia detestar as aulas, me trazia insegurança, e desânimo! Não é, para falar a verdade, que os outros fossem bons, mas este exorbitava... Fico ainda a me lembrar dele, sem nenhum sentimento menos nobre, deixemos claro. Por que a lembrança recorrente dele? Não sei lá muito bem, talvez, talvez, repito, em razão de vê-lo presente ainda hoje, em pleno século XXI, em alguns manuais didáticos e em aulas do nosso vernáculo. Na minha época de aluno, não entendia bem o que havia de errado comigo. Não conseguia aprender muitas vezes o que o professor de Português mandava a turma estudar. Não era falta de estudo, mas não lograva aprender. Dúvidas persistentes. Por isso, ingressei no curso de Letras ainda com muitas hesitações e, assim, sujeito a equívocos no uso da linguagem, inaceitáveis em um aluno deste curso (futuro professor!) e em qualquer cidadão com boa escolaridade. Nada difícil rememorar o ensino da língua em que me aprisionaram durante o ginásio e o científico, sobretudo após ter cursado o primário em outro colégio, com menos expressão, na época, mas em que, além de desenvolver meu raciocínio matemático, fui estimulado a praticar a linguagem. Sim, comecei a sentir aprisionada a minha fala, pois que intuía, já com alguma experiência, que o uso da língua é para a gente se soltar, voar até, ter linguagem para contar suas histórias, para ler o que despertar interesse, descobrindo, muitas vezes, novos mundos, para poder falar do que quiser, de alegrias e de tristezas, do ontem e do hoje, da realidade e do imaginário, dos mistérios da vida e da morte... Afinal, não se vive sem linguagem, não é mesmo? Para se ler o mundo e para adquirir a função de ser social. Ora, o ensino, infelizmente, não me dava mais condições de desenvolver a minha capacidade (hoje, se fala competência) de ler, escrever, falar, ouvir. Sei muito bem, minha memória fixou esta lembrança: a partir do ginásio, escrevia textos tolos, bobocas mesmo, não porque tivesse medo de errar (afinal, a língua tem suas normas, e não contestadas então, como hoje), mas por achar uma atividade sem propósito, desestimulante, pois. Na verdade, por que estava ali falando sobre uma festa junina? Era, positivamente, um aluno sem linguagem! Coisa muito séria, não? Repetia o óbvio, ninguém poderia se interessar por ler aquelas linhas, sem nenhum temperozinho! Nem o professor... Este, em geral, nada assinalava se fosse seguida a norma, não havia, na época, o problema (que não é problema, mas uma propriedade de toda língua) da variação linguística, nem também, ressalte-se, uma sociedade diversificada, "misturada", como a atual. Só corrigia uma ou outra ortografia com alguma letra trocada. Escrevia pouco, não me arriscava, sobretudo em função de não ter o que dizer, portanto, uma escrita(!) sem nenhum atrativo, sem autor! Que coisa inútil, sem graça, comentava comigo mesmo... Frases soltas, sem nexo entre elas. No entanto, espanto!, era tido e havido por bom aluno! Como pode?

 O professor aludido, apenas com maior insistência do que os outros, tinha lá suas equivocadas intenções pedagógicas. Adorava, por exemplo, que soubéssemos o significado de palavras parecidas, prestes, em princípio, a confusões. Aprendi que se chamavam parônimas. Havia naturalmente aqueles pares eleitos, figurantes ainda em qualquer gramática: prescrever/proscrever, infligir/infringir, intemerata/intimorata... Nos era dito o que cada uma significava, dado um exemplo. O diabo (palavra de escolha infeliz esta, afinal, era um colégio religioso!) é que não dominávamos o emprego destes e de outros parônimos! A saída? A memorização — não se usava, ainda, a palavra decoreba. Resultado: uma troca frequente na utilização das palavras e a dúvida sempre presente. Prescrever ou proscrever o prazo da lei? Só, anos depois, é que fui me conscientizando mais de que tudo em linguagem requer mesmo a sua prática. A gente precisa cair na linguagem! Não se cai no Carnaval (festa pagã, outra palavra que poderia ter sido evitada!) para poder dizer que se brincou nele, de início meio desajeitadamente, até tomar gosto? Cair na linguagem, com dificuldades também no começo, é inevitável a quem almeja brincar, um dia, com ela, em seu amplo território e no tempo de nossas vidas. Uma sensação incrível, acreditem, com que só mais tarde me deleitaria. Na faculdade, esbarrei ainda com dificuldades várias, como as do uso de alguns terríveis parônimos. Precisei mesmo cair na linguagem e na vida... Em certos ambientes sociais. Fui me habituando a ouvir um médico dizer: vou lhe prescrever este remédio. Comecei a ler nos jornais: o tempo do contrato já proscreveu. Então, nem tudo se consegue aprender no colégio, mas na escola da nossa vida social, dependendo, claro, de como for esta nossa vida, que condições teremos, enfim, para dela podermos usufruir mais, ou menos. Com reflexos sempre evidentes na linguagem. A eficiência do ensino de nossa língua não será certamente maior, se ele orientar o aluno na prática da linguagem? Por que isto parece tão intricado a tantos professores, até hoje, presos ainda apenas à ossatura gramatical da língua, não me permitindo esquecer aquele professor do ginásio? Nada contra a gramática, fique claro!, mas sobre a maneira como é ensinada. Tudo bem? Como aprender a nadar, sem cair na piscina? O verbo **cair**, vai, assim, se repetindo!

A memorização sobrepujava de muito, no ensino da língua, a sua prática. Será que, atualmente, se continua a trilhar por este (des)caminho com tanta evidência? Temo que sim... O meu professor do ginásio era um adepto fundamentalista, palavra de hoje, do apelo à memória. Até o que era equivocado, ele insistia em que decorássemos, e cobrava nas provas: quando **não** se pode usar o acento indicativo de crase! Antes de... No ensino de nossos dias, se dará tanta ênfase a esta distorção? Sei não... Uma constatação, porém, é certa: pessoas que até escrevem com desembaraço vão distribuindo, nos seus textos, o acento grave, revelando total falta de compreensão do que seja crase. Parecem aplicar uma norma ortográfica mal dominada! Ficava eu às voltas com o pode ou não pode? Evidentemente que este apelo à memorização de formas e regras corretas e erradas, não podia trazer bons resultados: insegurança na prática da língua! No meu caso, lamentei muito: comecei pelo acertado caminho da prática da linguagem, interrompido depois, ao ingressar no ginásio.

Posso assegurar que, durante o ginásio, me desenvolvi mais no latim, de que não tinha nenhum conhecimento prévio, do que na minha capacidade de me expressar em minha língua. Coisa triste! Cheguei a tomar gosto pela língua das declinações. Antes de fazer o meu vestibular, com exigência de tradução de um trecho das *Metamorfoses*, de Ovídio, tive, não posso nunca esquecer, um excelente professor particular de latim. Além de competente, bom sujeito! Aí mesmo que minha paixão pela língua de Cícero explodiu! Tanto que fui, de início, professor universitário de língua latina. E o português? Foi ficando para trás. Mas sem que eu o perdesse de vista. Tinha apenas de encontrar caminhos outros, para seu estudo e ensino. A começar por escrever textos de maneira mais desembaraçada, a que não faltassem até umas pitadas de paixão e de humor... A escola? Instituição séria, não podia acolher fortes emoções, brincadeiras... Este momento, de maior liberdade, me foi chegando aos poucos. Mas, é só me por a avaliar manuais didáticos, que a figura daquele meu professor de ginásio me volta a aparecer! Mas nada estorvante à minha relação forte, de agrados mútuos, que, enfim, passei a ter com a minha língua. Do latim, estou sempre me lembrando. Pude apenas deixar de dormir com um dicionário latim-português, pois, receava ser acordado por algum aluno a me indagar qual a tradução daquele trechinho em latim!

O ensino da língua:
entraves de ontem e de hoje (II)

Continuo a me lembrar do meu professor de Português, que Deus o tenha. Mas falando dele, espero que, de onde estiver, ele me compreenda, me vêm à memória os meus professores, que, naquela época, acreditavam, por que não?, exercer, com proveito para seus alunos, a função de pavimentar caminhos seguros para a prática mais eficiente da língua, nos tornando produtores textuais e leitores interessados e interessantes, a ponto, quem sabe?, de ficarmos seduzidos pelas belezas da última flor do Lácio e por tantos mundos inesquecíveis com ela criados. Longe de alcançarem seu intento, falo por mim, fique claro. Se apascentem, no entanto, professores meus! Vocês, melhor, os senhores, viveram o seu tempo, não me esqueci não! Vivi, também, como professor, tempos distintos, trilhei, hoje eu sei, descaminhos no ensino do vernáculo... Como posso garantir que, mesmo atualmente, proponho uma prática pedagógica eficaz? Está certo, ela parece bem fundamentada. Porém, não ignoro antigos e graves entraves à sua adoção, bastando nos lembrar sempre da realidade social, econômica, cultural e educacional deste nosso país gigante, marcada por profundas desigualdades. A linguagem e a vida! Não podemos, todavia, perder nossa utopia de sermos professores mais antenados e de lutarmos por ela, se convencidos de que queremos mesmo mudar de atitude ante a língua e o seu ensino, pois, ainda nos dias que correm, o ensino do idioma (todo mundo fala sobre isso, embora com apoio em causas bem diversas!), tem se mostrado comprovadamente, oficialmente, improdutivo, me fazendo reviver, em algumas atividades pedagógicas, o ensino que recebi, há uns bons anos.

Meu professor era, recurso pedagógico costumeiro naquela já distante época, adepto de trabalhar com textos errados (que vontade de colocar errados entre aspas!), com ênfase, então, nos chamados vícios de linguagem: barbarismos, solecismos, estrangeirismos... Publicavam-se, com boa aceitação, livros com textos para corrigir. O problema central estava na obsessão do erro, que merecia até uma classificação! Por que esta ênfase no erro? Por que não apresentar sempre (e textos não faltavam!) o que não merece reparo, bem-
-escrito, concatenado, sugestivo, mostrar outras formas habituais de dizer o que está dito, fazer sentir a beleza de um jogo de palavras, sim!, che-

gar à expressividade da linguagem de vários textos? Para que "fabricar" textos? A língua não é uma tabuada! Por ela, podemos até dizer "como dois e dois são cinco", numa célebre canção, para manifestar determinado intento expressivo do compositor. Vários textos(?) nos eram passados: sem autor, sem uma situação de fala, para nenhum interlocutor!, com problemas de ordem bem diversa, desde os equívocos ortográficos até o uso inadequado de palavras. Que confusão em minha cabeça! Que insegurança! O que era o certo e o que era o errado? Ser ou não ser...? A intenção evidente era a de os estudantes virem a dominar "a" língua, como se proclamava então. Ou seja, uma língua em cuja prática não se admitiam deslizes ou hesitações. Nem um "depende"... Longe de se falar, em tão distante tempo, em variação, norma, situação... Referir-se à maneira habitual de se expressarem as pessoas que não tinham frequentado a escola, nem pensar! Mesmo ao modo descompromissado adotado nas conversas domésticas! Impunha-se, assim, estar sempre corrigindo os erros em textos especialmente aprontados (me recuso a dizer "escritos"!) com a finalidade de neles ocorrerem toda sorte de equívocos gramaticais, lexicais e ortográficos. O aluno que deixasse de registrar certos erros seguramente os cometeria em sua escrita, era apenas uma questão de surgir a oportunidade... Não era de se esperar, assim, que a língua oral fosse cogitada nas aulas de Português. Os alunos já falavam, por que querer ensinar-lhes o que já sabiam? Com o desenvolvimento da escrita, a fala deles iria, paralelamente, tendo também a sua prática ampliada a outros recursos! A língua oral com base na escrita? Como pode! "Escreva sem erros, para falar sem erros?" E língua engessada no tempo! Cheguei, na verdade, a supor que a língua fosse um mero inventário de erros e de acertos! Que reducionismo, exclamava pesaroso! De repente, até me batem na memória estes dois versos de Pessoa: "Pobre ária fora de música e de voz, tão cheia/De não ser nada."

A exposição assídua a textos adequados (são tantos!, felizmente!) não poderia aproximar muito mais os alunos dos fatos da língua, pois, de tanto estarem em contato com eles, não acabariam por incorporar, pelo menos alguns deles, ao seu uso idiomático? Mas não! Pouco se lia em sala: sim, porque não posso chamar de leitura apenas a manifestação vocal de um texto apreendido pela visão. No então científico, grande era minha expectativa pelas aulas de Literatura. Ouvir um texto do Machado comentado! Um poema do Álvares de Azevedo ou do Castro Alves! Minha imaginação era uma excitação só! Frustração total, no entanto. Líamos o que o manual didático dizia de cada autor: umas quatro ou cinco linhas de apreciação do escritor, com sucintas informações biográficas e bibliográficas. Depois pequenos trechos, constantes de uma justamente famosa *Antologia*, mas, sem que o professor se dignasse a qualquer tipo de comentário, idiomático ou literário. Continuava a fazer minhas leituras em casa, sem nenhuma orientação, de que tanto sentia necessitar.

A nomenclatura gramatical não era tão cobrada, como costumava ser na época, e desde o século XIX. Já em um curso preparatório, fui massacrado pela insistência com que era exigida! Lá passei por uma experiência inesquecível. O professor pedia à turma que "redigisse" um período com a ocorrência de certos itens gramaticais. Ou seja, um período organizado com base no conhecimento, não da língua, mas da nomenclatura! "Redija" um período com a presença de: um substantivo comum de dois, uma oração substantiva objetiva indireta, um predicativo e um aposto. O resultado? Fácil se prever. Em geral, períodos artificiais, ridículos mesmo! Ah, como se estava longe de "Minha pátria é minha língua"!

Clarice, amiga próxima, meu super ego, às vezes, me interpela: você fica aí lembrando e criticando o ensino de Português do seu tempo de jovem. Concordo, em geral, com suas observações. Mas fico pasma de você dizer que a atual orientação pedagógica o faz lembrar das aulas recebidas ainda no ginásio! Como? Hoje se fala em produção textual, coesão, coerência, variação linguística, norma, contexto, gêneros textuais, intertextualidade, interação, referenciação, marcadores conversacionais...? Nossa, quantas mudanças! Vai negar? Não, mas preciso te esclarecer mais minha posição. Não estou me referindo a Parâmetros Curriculares ou a outros documentos oficiais elaborados por linguistas. Nem nego que houve mudanças. A variação linguística, embora mal assimilada ainda pelo ensino, é uma delas. O tratamento dispensado aos gêneros é outra. Mas sabe, o "espírito da coisa" mudou pouco, Clarice! A cultura do erro está aí vivíssima. Para que os sacrificados professores de Português continuam a levar pacotes de redações para se massacrarem em casa? Para procurarem os erros! Não para dizerem aos seus alunos que, ao escreverem, não foram claros, ou foram repetitivos, radicais, sei lá mais o quê! Entende? A cobrança da nomenclatura, através do estudo da palavra e da frase continua firme, não é verdade? Quer ver? Se perguntado sobre a diferença de emprego entre o E o DE, muitos colegas, fiz esta experiência, responderão que o E é uma conjunção, e o DE, uma preposição. Responderão, então, recorrendo à nomenclatura! Explicação de nenhuma valia, convenhamos, para o aluno. O Millôr, que intuía bem o valor da linguagem, disse, sábia e ironicamente: "Entre o **porque** e o **por quê** há mais bobagem gramatical do que sabedoria semântica." A obsessão pelo erro e pela nomenclatura continuam aí, amiga! Afinal, você não está sabendo que, mesmo trabalhando com novos conceitos, úteis!, não sou eu que vou negar, o aproveitamento em leitura é sofrível, a produção dos textos carente, em geral, das condições necessárias para se poder, de fato, escrever. Precisa mais para me justificar que o ensino atual, mesmo que com uma ou outra mudança importante, caminha ainda por veredas não confiáveis, porque improdutivas? Ser professor de Português se tornou uma missão mais complexa hoje do que lá atrás, de onde venho. Antigamente, a certeza do que se ensinava; atualmente, a perplexidade reina entre muitos e muitos professores! Como "corrigir" os textos dos meus alunos? Antes, quando assinalar como erro? Não devo falar mais em erro? O decisivo é o aluno saber se comunicar? Tudo vale no jeito de dizer? Não posso mais ensinar nomenclatura? E a análise sintática, então, como fica? Clarice, são estas, e você sabe muito bem, entre outras, as recorrentes indagações que muitos colegas nos fazem. Estou com você, quando diz que houve, ultimamente, mudanças, e positivas, no ensino da nossa língua. Mas um mundo de conhecimentos novos, com seu inventário de novos termos, geradores de novas posturas, está pesando sobre a cabeça dos professores, sem que eles tenham o apoio necessário para assimilá-los e aplicá-los convenientemente em sua prática pedagógica. Manuais didáticos que sejam de valia para eles? Encontros com colegas em que exponham suas dificuldades, com trocas de ideias, por exemplo, sobre a leitura de certos textos de fato úteis, voltados para questões de ensino? Amiga, nossos colegas precisam de muito mais oportunidades em que tenham voz! Falar sobre o ensino sem que sejam ouvidos é uma lacuna sempre grave nestas proposições pedagógicas, já tão numerosas em nosso mundo editorial. A mim me parece que, na situação atual dos professores do vernáculo, é prevalente um clima de insegurança, de desorientação, de busca constante de oportunidades de ouvirem uma palavra esclarecedora, de assistirem a um debate sobre certo conteúdo de ensino, de lerem um texto realmente adequado, de participarem de uma troca de ideias, sem constrangimentos, à vontade, na presença de colegas mais experientes. Li um dia, e não mais me esqueci, que a utopia está em caminharmos, em continuarmos a caminhar. O que você e eu queremos, com nossas divergências sim, é estimular nossos colegas a compreenderem por que, como professores de Português, atravessam um momento de perplexidade em sua atividade docente, para não se deixarem abater pelo desânimo. Vivemos um período de mudanças, na sociedade e na apreensão do conhecimento sobre a língua. Natural, assim, a ocorrência de novos caminhos no tocante ao ensino da língua. Estes caminhos, estou certo e você também, vão sendo sedimentados paulatinamente pelos professores, cada um em seu tempo, dependendo do comprometimento com o estudo e do seu grau de receptividade a mudanças. O importante é não deixar de caminhar, não é, Clarice?

Consultas médicas

Não, não vou escrever aqui sobre patologias, sobre as diversas ites, algumas terríveis, que invadem o nosso corpo, e alma, desde o momento em que nos tornamos seres vivos. Por favor, se mantenham pois afastados de mim, estados mórbidos (palavra de maus fluidos!) e procedimentos de toda ordem e local! O que me interessa é observar as relações humanas, a especialíssima relação entre médico e paciente, então... Sei que já se falou muito e se fala ainda bastante sobre esta convivência. Mas, gostaria de opinar também, afinal, sou frequentador de consultórios médicos há quantos anos? E que variedade deles conheci, por especialidade e também pelas mais diferentes maneiras de conduzir a consulta! Atualmente, com os meus médicos mais que estáveis, garantidos por uma espécie de cláusula pétrea, ainda corro o risco, *data venia*, de ter contato com outros mais. Pudera! Vive-se a época da especialização. Médicos dos pés, dos joelhos, dos tornozelos, dos quadris, dos ombros, do pescoço, (dos cotovelos?), das mãos, da lombar... De sorte que não é absurda, às vezes, a indagação a um pneumologista: o senhor trata dos pulmões? Só da apneia do sono! Nada contra a especialização, avanços da ciência. Não deixa de ser uma oportunidade de conhecer mais profissionais da saúde. E nem é o caso de eu sentir falta dos médicos de amplo conhecimento, de excelente cultura humanística. Os meus são deste time. Vejam só: um recita poemas camonianos, outro é leitor assíduo de Eça de Queiroz e pianista, um outro, romancista, mais um outro é apaixonado pelas artes em geral... Conversas das mais interessantes e diversas brotam. E as tiradas de humor? Craques versáteis, pois, compõem este meu time. Seus passes não podem ter preço, não é mesmo?

Disse que queria me ater a certas relações vivenciadas entre médicos e pacientes. O paciente, claro, sou eu próprio, embora não deixe de valer de testemunho curioso de um amigo.

Estava de clínico novo. Constatou pressão alta. Medicação prescrita, medicação seguida à risca. Sou disciplinado. Logo, a PA se normalizou. Meio neurótico fiquei, é verdade, sempre querendo, quase todo dia, sob forte expectativa, que me medissem as tais sistólica e diastólica. Volto ao clínico levando a boa-nova, que foi logo desmentida pelo aparelho dele. Como pode, disse eu? Pode ser Síndrome do Jaleco Branco, me respondeu, querendo me tranquilizar, todo zeloso ante uma possível paranoia. Mais uma síndrome? Não é por nada não: mas por que ele não mudava a cor do jaleco? Quase tinha me oferecido para comprar um, azul, por exemplo. O certo é que foram necessárias algumas idas ao clínico, para, já me sentindo derrotado pelo jaleco branco, um dia ouvir dele que minha PA estava normal. Tirada uma segunda vez, agora deitado, resultado confirmado! O sentimento de vitória me alegrava. Saí renovado daquela consulta. Pressão de jovem (mascarada, é verdade), e uma síndrome a menos!

Este problema de criarmos neuroses, fácil, fácil me evocou uma história contada por um amigo. Extremamente hipocondríaco, andava se queixando de certa dorzinha, algum mal-estar. Tirados alguns exames, veio o veredito: ia ter de operar a vesícula! Operar a vesícula? Não me diga isso! Em pânico já andava, temeroso do diagnóstico, em pânico ficou mais ainda com a palavra segura do médico. Este, atento ao seu paciente, lhe disse: pronto, a vesícula subiu para a cabeça!

Nesta outra situação clínica, o medo que causei tem até lá sua razão. Passei por um destes procedimentos de consultório. Aguentei firme, pois, embora anestesiado o local e a mais que comprovada perícia do médico, em nossa já longa relação, não deixei de sentir alguma dor. Afinal, homem é homem! Sei, afirmativa bem desmoralizada hoje... O certo é que, durante o procedimento, eu me comportei estoicamente. Por uma meia hora. Ao sair da sala de exame e voltar para a espaçosa sala de recepção, não me contive, e pus-me a chorar, embora discretamente, diga-se em minha defesa. Dois clientes, aguardando sua vez, incontinenti se levantaram em rápida retirada. Será que meu médico, fiquei a pensar, terá perdido dois pacientes?

Com outro especialista, situação algo semelhante, ainda que o medo tivesse se instalado mais precocemente. Estávamos eu e outro paciente sentadinhos na sala de espera. Ele visivelmente nervoso. Levantava, sentava, pegava uma revista... Acabou puxando uma conversa: já fez este exame? Já. Como é que é? Suportável, respondi. Queria detalhes, numa atitude típica de quem quer sofrer por antecipação. Fui cauteloso com a minha descrição. Mesmo assim, meu companheiro se levantou e, literalmente, fugiu do consultório. Sempre os homens... Não teve, assim, nem oportunidade de conhecer o médico, sujeito bom, sempre com aquelas palavras tranquilizadoras quanto ao exame. Não é que o desconforto do procedimento se tornava mais ameno? Ao voltarmos para sua mesa, ainda nos apontava para um belo pote cheio de balas.

Como disse, as tiradas de humor estão presentes, com certa frequência, nas minhas consultas com aqueles médicos com quem mantenho um convívio mais longo e próximo. Com um deles particularmente. Como vai? — indaguei-lhe, ao cumprimentá-lo, não só por delicadeza, mas, afinal, preciso também saber como andam os que me tratam, embora, em geral, eles se omitam. O paciente sou eu, está certo. Um dia, porém, à minha pergunta de praxe, o médico, com quem troco algumas figurinhas, me olhou sério e respondeu: vou bem... mas... Mas gostaria mesmo era de me sentir bonito como minha mãe me acha; de ser rico, como meus amigos pensam que sou; de ter as mulheres que minha mulher julga que eu tenho; de ser o conquistador que eu proclamo que sou! Ri e, no mesmo tom do diálogo iniciado, comentei: então, um professor, para se sentir realmente bem, tem de se contentar em se julgar bonito como sua mãe julga que ele seja. E confiando sempre num julgamento estético favorável das mães.

Às voltas com a fonoaudiologia

Voz um tanto cansada, meio rouca, ao final de uma tarde de aulas, em que minha fonação era bem exigida. Verdade, havia um intervalo, de uns 15 minutos, após hora e meia falando quase todo o tempo, antes da outra hora e meia seguinte. Também, o peso da idade! Como evitá-lo? Só viajando antes... Como gosto de viver, apesar de tantos apesares, a alternativa sempre me pareceu bem pior. Um médico amigo me indicou um otorrino. Simpático, atento, especialista em voz, me submeteu a um rigoroso exame. Nada assustador o diagnóstico: suas cordas vocais estão com a musculatura muito frágil! Até elas? Pensei que os exercícios que, há anos, com muita disciplina, pratico naqueles aparelhos de uma academia garantissem qualquer musculatura! Afinal, malho tanto os ombros, a cervical... Mas a videolaringoestroboscopia computadorizada (isto mesmo!) não dava margem a dúvidas. Pela primeira vez, vi, ao vivo e a cores, minhas cordas vocais, de que falo em minhas aulas: a ação, ou a atuação, das cordas vocais servem para distinguir dois fonemas, um surdo, outro, sonoro... Estavam lá: frouxas sim. Que coisa feia, gente, as tais cordas vocais! O otorrino me indicou uma outra academia, ou melhor, um estúdio de voz, para fortalecer, agora, a musculatura das minhas cordas, chamado por mim de fonoaudiologia.

Fui encaminhado a uma "personal" da voz, a uma fonoaudióloga. Depois de uma anamnese detalhada, me explicou, em linhas gerais, como seria meu tratamento. Sessões semanais: o fortalecimento das cordas vocais envolve todo o seu entorno, ou seja, a língua, os lábios, as bochechas, a faringe e laringe, claro, a respiração. Minha voz não era grave, como eu pensava, ou me esforçava, não sei por que, para tal, nem também agudinha, fique esclarecido. Ela, jovem, que se mostrava uma profissional competente, zelosa, me mostrava como fazer cada exercício, para depois se valer de um teclado, cujas notas eu devia acompanhar com sons inusitados, sem falar dos complicadíssimos movimentos necessários com os órgãos vocais. Ainda bem que as salas eram acusticamente protegidas! Me punha sentado numa cadeira, bem em frente a um espaçoso espelho. Só conseguia praticar os exercícios com os olhos fechados, pois não dava para me encarar fazendo aquelas caretas, de todo ridículas. Era uma exposição só! E a sequência emitida de sons, alguns gritados? Se viessem a me escutar?

Com a continuidade das sessões, chegando ao estúdio alguns minutos antes da hora, fui observando que a maioria de seus frequentadores era de profissionais da voz, sobretudo cantores, mas atores também. Até os secretários eram cantores! Gente jovem, que já cantava em musicais (que estão na moda), ou que queria cantar, gente já não tão jovem, além de atores conhecidos, alguns, que se encontravam com algum problema em sua preciosa voz. Aí entrava a minha fono. Eu? Sem ser cantor, nem ator, me sentia um doente da voz, cansado de tanto falar, após anos e anos dando minhas aulas a turmas de alunos nem sempre lá, digamos, muito bem-comportados. Fique bastante claro que a minha fono sempre dizia para mim que o meu caso não era nada grave, em comparação com os problemas de outros clientes seus. Mal da idade (mais um!) e de quem sempre forçou muito a voz. Não vinha eu batalhando para manter firmes os meus músculos abdominais, peitorais, as panturrilhas, os bíceps, tríceps e quadríceps? Se vê que é um homem muito saudável, que cuida de si. Por que não cuidar da sua voz? Você é um profissional da voz também! Na verdade, sempre julguei que o professor é um ator. Atores bons, atores medíocres... Inevitável! Fui um cliente assíduo, esforçado, a que não faltou o estímulo de minha fono. Se entusiasmou mesmo com a minha aplicação, chegando a me perguntar, com o meu avanço nos exercícios, se já tinha cantado. Não, nem no chuveiro, sob pena de família e vizinhos me expulsarem do prédio...

Os exercícios me fizeram rever meus conhecimentos de fonética. Não adiantava muito saber classificar os sons, mas a precisão dos movimentos articulatórios necessários para a emissão deles, muitas vezes, estranhos à fala comum. O importante era alcançar o som que a fono me passava. Assim, por exemplo, atenção no biquinho, nas bochechas, nos lábios arredondados, nas diversas peripécias da língua... Soltar também sons graves, numa escala, até os agudos, e vice-versa. Imitar a voz de falsete. E sempre acompanhando as notas do teclado. Ensaiávamos até breves músicas, como a do parabéns para você, com a língua para fora, ou grudada no céu da boca, ou gargarejando, ou soprando um canudo dentro de um recipiente com água... Minha calça tinha de sair algo molhada! Mas, tudo valia a pena se a vontade não fosse pequena para fortalecer minhas cordas vocais. Confesso que costumava sair às vezes bastante cansado das aulas, mais até do que daquelas que malhava na academia.

Uns cinco ou seis meses depois, voltei ao otorrino para me submeter a uma nova, lá vai, videolaringoestroboscopia computadorizada. O médico ficou surpreendido. Uma melhora incrível! E me mostrava as minhas cordas vocais, sobretudo a esquerda, músculo só! Compare com o exame anterior, me dizia entusiasmado. Que beleza! Como pode ver beleza nisto? — dizia para mim. Precisamos apenas fortalecer mais a direita. Que saí do consultório orgulhoso, não vou negar. Ninguém podia ver que eu era um homem musculoso nas cordas vocais, eu sei. Mas um homem de voz firme, sem precisar gritar, isto com certeza.

Os exercícios passaram a ser feitos, com minha cabeça mais virada para a direita. Receei um torcicolo. A fono, no entanto, era muito atenta. A fonoaudiologia ganhava meu entusiasmo, minha crença. Na volta seguinte ao otorrino, novo exame de vídeo. Me poupo da palavra extensa. Pronto! Minha corda vocal direita também tinha crescido, musculosa que nem a esquerda. Era um homem de centro, pelo menos nas pregas vocais... Vibração maior senti da parte do otorrino e da fono. Nas leituras de textos desconhecidos que fazia durante as sessões, ouvia uma voz diferente, mais clara, segura, sem tensões. Agora, bastava ser persistente nos exercícios em casa. Se não era um novo homem, transformara-me em um homem de voz nova. Alguma coisa de novo, pelo menos! Vou ter uma conversa com o meu professor de musculação. Afinal, depois de tantos anos, não me vejo como um homem musculoso, e olha que me esforço naqueles aparelhos!

Dar presentes

Gosto de dar presentes às pessoas queridas, em datas especiais, ou até em dias comuns, sem nenhum evento a ser comemorado. Vi alguma coisa que me evocou muito especialmente certo amigo, pronto, lá me vem a vontade de comprá-la, o que, em geral, não se concretiza... Cultivo mesmo este prazer. Não acho nada complicado dar presente a quem, afinal, conheço o modo de ser, as coisas que aprecia mais, os sonhos... Corro, é verdade, certos riscos, como o de repetir o presente do aniversário anterior. Não guardo o que escolhi após um ano. Já aconteceu, então, ter comprado, por três anos, o mesmo presente para a mesma pessoa. Não exatamente o mesmo presente, mas o mesmo objeto, no caso, caixinhas imaginosas, para adornar uma mesa ou para colocar dentro pequenos e sempre lembrados mimos. Gosto de algumas destas caixinhas, a pessoa amiga também, o resultado acabou sendo este. Quem sabe, insinuando uma coleção a ser formada, com a minha colaboração?

Para certos amigos é mais difícil sim. Por quê? Sei bem não. Pensando mais, parece que a relação não é lá tão íntima. Então, o tipo de relação é muito importante na hora da escolha. Como os cartões que somos levados a escrever, não aceitando, de modo nenhum, as mensagens comercializadas. Quando o coração fala, a escrita dispara. Ao contrário, quando mantemos alguma cerimônia com o destinatário, a escrita emperra, fica-se buscando as palavras, na verdade, a afetividade. A vida e a linguagem.

    Julgo que o presente fala à pessoa o que penso dela, pois procuro satisfazer um desejo seu. Cuidado, portanto. Dar um livro, por exemplo, pode ser um elogio ou um acinte mesmo, ainda que a intenção não tenha sido perversa. Imagine comprar um livro que vai aos meandros da subjetividade para quem é um leitor pouco assíduo! Ou um que tem a linha cronológica nada linear! Ou um de autoajuda para um amigo sabidamente refinado em suas escolhas de leitura! Mas, me parece que, em princípio, dar um livro a uma pessoa é um baita elogio. Como sou inteligente!, deve se imaginar quem o recebe. Sabia que ele me tinha em alta conta! Mesmo conhecendo bem, digamos, o aniversariante, podemos nos equivocar, e, ao presenteá-lo com um livro, perceber que não agradou. Compramos, às vezes, um livro que gostaríamos de ler, para, passado algum tempo, pedi-lo emprestado ao amigo. Economia: livro como presente e livro para eu ler... Afinal, verba sempre sob controle!

No Natal, tenho minha listinha dos que quero presentar. Não me move o tal do consumismo. Simplesmente, vivo esta época como propícia para eu reafirmar a algumas pessoas que gosto delas, que estou sempre, de alguma maneira, me lembrando delas. Familiares e amigos, entre os quais incluo os meus médicos. Ah, ser amigo deles é fundamental! Nossas conversas não se limitam, longe disso, às ites da vida, que, com o passar do tempo, só vão se acumulando. Trocamos opiniões sobre o nosso viver pessoal, sobre questões e personagens nacionais e internacionais, contamos piadas bem divertidas. Ontem mesmo, ouvi uma originalíssima acerca de um conhecido político. A gente se vinga deles... Em suma, passamos a nos conhecer melhor, muito além das ites, que nos invadem o corpo e a alma. Então, comprar presentes para eles fica fácil. Mas também as secretárias dos médicos não são e não podem ser esquecidas. Pessoas importantes. Procuro ser amigo delas. Me facilitam, tantas vezes, a vida: agilizam meu acesso ao patrão, descobrem, ou criam, uma hora na agenda sobrecarregada dele... De início, confesso, que a vontade, ou (lá vai!) o interesse, de agradar é que me impulsiona, mas, em pouco tempo, quase sempre, me vejo ligado a elas afetivamente, pergunto pela família, estas coisas que vão brotando na aproximação de duas pessoas.

Mas, no Natal, com a listinha dos que quero presentear, já cometi as minhas gafes. Sou mestre nelas, confesso. Já dei um presente, uma lembrancinha (é assim que se costuma dizer), feminina a um amigo, ou uma masculina a uma amiga. O maior vexame, quando abrem o presente. Não tenho sempre o cuidado de escrever o nome do presenteado num cartãozinho. Um delicado meio atrapalhado...

Na festa natalina, em meio às minhas compras, nada extravagantes, mas que revelam certo poder aquisitivo, se exarceba em mim o sentimento de tristeza pela lembrança das crianças que não têm família, pelas pessoas sem casa, enfim, por uma sociedade tão desigual, tão perversa mesmo. A gente, se aproximando também o fim de mais um ano, fica mais sensível. Mais um ano, menos um ano. Me sinto, mal, então, pensando nos que nada recebem, em contraste melancólico com aquela agitação toda das ruas, das lojas, das pessoas embrulhadas em presentes. Procuro, para abrandar este sentimento depressivo (culpa?) que me assalta, entrar numa loja de brinquedos para comprar alguns para um orfanato. No ano passado, me dirigi a uma atendente. Queria comprar alguns brinquedos, lhe disse. Me perguntou: para menino ou menina? Para menino e menina. Quero boneca, bola, carrinhos... Ah, já sei, o senhor vai comprar brinquedinhos para um orfanato. Sim. Então, quer brinquedos baratinhos. Entendi logo o espírito da conclusão. Por quê? – lancei a indagação no ar. Meio sem graça, me disse apenas: não é para um orfanato? Muita gente vem aqui comprar para crianças pobres. Estou já habituada. Nada repliquei, para quê?, comecei a escolher os que queria levar, retirando-os das prateleiras. É sempre assim: presentinhos, baratinhos, tudo no diminutivo, quando se trata de gente humilde, expressão que me veio do título de uma música de que tanto gosto ("Mas que vontade de chorar!"). Sim, no Natal sinto os pobres mais pobres. Na verdade, quantos de nós não ficamos mais pobres?

Os shoppings

Não gosto dos shoppings gigantes, dos megashoppings. Não sei, mas, de repente, me vejo perdido em seus longos e sinuosos corredores. Já passei por estas lojas umas duas vezes! Perco a noção de quantas escadas rolantes subi e desci. Em que andar estou? Não encontro o banheiro masculino. Já me vi até diante de um banheiro para deficientes físicos. Tenho lá minhas deficiências físicas, eu sei. Penso que ainda não tão visíveis. Onde fica o banheiro masculino, perguntei a um daqueles homens altos e de terno e gravata, estáticos. O senhor vai em frente, depois vira à esquerda, à direita... siga as setas. Fui ter no banheiro dos deficientes oficiais. Minhas dificuldades de me orientar nestes shoppings me fazem sentir no grupo deles. Necessidade de ter um acompanhante. Já? Quando enfim consigo achar o banheiro, ao entrar, percebo que sou olhado com ar estranho por alguns homens. Viram alguma deficiência em mim? Nesta época natalina então, com um mundo de gente a andar, andar não, a correr em direções opostas, minha perturbação aumenta. Medo de me derrubarem.

E as pessoas ocupam espaços maiores, carregando presentes de ambos os lados, como se ninguém fosse magro. A entrada numa loja me aterroriza. Encontrar alguém que me atenda. Vejo uma vendedora atendendo a três pessoas! Vou-me embora p'ra Pasárgada, embora não seja amigo de nenhum rei, mas "Tomarei banhos de mar!". A saída do shopping é sempre muito dificultosa, como diria Guimarães. Mesmo com setas, indagações, não escapo de voltas circulares. Enfim, a esperada saída, e a rua!, rumo a um shopping menor, a algum lugar em que não me sinta um deficiente, um desorientado, um lugar de lojas simpáticas, atendido pelas raparigas em flor do Quintana.

Já enfatizei que não gosto dos megashoppings. Mas... Duas queridas amigas me convidaram para conhecer um restaurante num desses grandes shoppings. O pior deles para mim. Onde sempre me perco. Para sair, uma dificuldade. Vamos no meu carro, disse uma delas, sabendo onde me levavam. Guardo o carro no estacionamento VIP. O restaurante fica logo à esquerda, ao se ingressar no shopping. Não podia me recusar, ante tais cuidados. Se há uma coisa que procuro preservar são as amizades. Dito e feito. Ao entrarmos naquele santuário dos que ficam batendo pernas, o restaurante escolhido logo se apresentou com o seu charme. Petiscos deliciosos, finos, cerveja geladinha, a minha predileta. Um ótimo papo, regado por tiradas de humor. Uma boa coisa da vida para mim é ficar trocando ideias com pessoas interessantes. O tempo corre rápido. Gostoso mesmo. Ao sairmos, nós três, com alguns goles só, sério, de cerveja, sentimos necessidade de ir aos respectivos banheiros. As amigas encontraram fácil o seu. Fiquei aguardando-as por perto. Fomos à procura do meu. Comentei com elas que era difícil localizar o masculino naquele shopping. Acharam que era uma brincadeira minha. Não deram maior importância. Giramos todo um andar, e nada do banheiro masculino. É, ele parece ter razão, comentou uma delas, meio sem graça. Resolveram perguntar a uma moça, funcionária do banheiro feminino. Puxa, disse, em pouco tempo três pessoas me dirigiram tal pergunta! Deu lá sua explicação. Olhem as placas!, em tom superior, foi a resposta dela. Passamos os três a pesquisar as placas. Minúsculas, no seu desenho e letras. Três candidatos a uma cirurgia de catarata. Muito altas também. Nos sentíamos pequeninos naquele lugar tão amplo. De repente, passou um homem corridinho, com o mesmo problema. Onde fica o banheiro masculino? Siga as placas!, ordem dada, ordem passada. Enfim! Encontramos a bendita placa! E gritamos, alertando, para o companheiro de infortúnio, que não nos ouviu, seguindo em frente. Os corredores, àquela hora, se apresentavam bem vazios. A entrada no banheiro masculino teve o sabor de uma conquista para mim. Já pronto para sair, ingressa no toalete o tal homem. Esbaforido. E já preparado para cumprir sua função. Apressei-me para sair do banheiro, nunca se sabe. Se voltar àquele shopping, o que pode acontecer, um convite é um convite, juro que me dirijo direto ao banheiro reservado aos deficientes. Serei aceito com certeza. Pensando melhor, é só olhar para mim, que me darão o passaporte de ingresso deste banheiro. Me sentirei, sim, meio abalado. Mas vida que segue, mesmo com estes abalos sísmicos internos. É o que importa: viver, continuar a viver.

Gosto dos shoppings menores. Menos gente, menos correria, menos escadas rolantes. Mais aconchego, mais intimidade com certas lojas, mais fisionomias presentes. Menos gente, mais gente. Encontrei um no Leblon. Bem simpático, com dois andares, uma só escada rolante, a saída de fácil localização. No andar térreo, um pequeno e convidativo restaurante. Logo, me veio a gula. Vitrines observadas com calma. De repente, no meu caminhar relaxado, eis que me surge uma loja com o nome de "Existe um lugar". O nome passou logo a me ressoar na cabeça, a ponto de meu incômodo zumbido no ouvido esquerdo ter cessado. Caminhei para a loja. Fiquei namorando-a da sua vitrine. Afinal, me indagava, que lugar é este? Me pareceu uma loja de presentes. Já no seu interior, fiquei confuso. Muitas pessoas num espaço pequeno. Traumas de minha visita recente a um desses megashoppings? Os presentes, muitas eram as sugestões, se amontoavam. As pessoas, polidamente, iam trocando de lugares. Minha confusão desaparecendo. O espírito da loja era de aconchego. Em pouco tempo, a gerente, toda delicadeza, se oferece para me ajudar. Sou Terezinha. Quer comprar um presente de Natal? Já encantado com o que vira, lhe disse: vários. Logo chegou também o marido dela a se apresentar: sou Fernando. Que lugar é este?, continuei a me perguntar. Comprei todos os meus presentes de Natal lá. Depois tive de esperar um bom tempo para que uma funcionária os embrulhasse. Enquanto isto, fiquei sentindo o espírito da loja. Que lugar é este? Lugar de borboletas e gaviões; de Drummond, de Pessoa e de Clarice, de poesia, de sensibilidade, espalhada entre aquela humana gente presente; de seres humanos raros, como a Terezinha e o Fernando, a distribuírem agrados e sugestões; de pessoinhas a recitarem suas preferências; de cores variadas, de matizes sutis; de sorrisos francos; de móbiles com textos poéticos; da poesia sempre presente, a pairar sobre todos; da pureza nas conversas; de amigos fazendo amigos. Que lugar é este? O local mágico para o presente procurado e para se fazer presente quando à vida aqui fora faltar poesia.

Notas descosidas sobre uma viagem a Pasárgada

Amanhã, "vou-me embora p'ra Pasárgada", embora não seja amigo do rei. Também lá não terei a mulher que eu quero. Como também não farei ginástica, nem andarei de bicicleta, nem montarei em burro brabo, nem subirei no pau de sebo. Mas, "tomarei banhos de mar!". Vou-me embora p'ra Pasárgada, amanhã.

Em Pasárgada, não sou amigo do rei. Mas queria tomar banhos de mar por lá. Águas tranquilas, morninhas. Qual nada! Não é que as águas do rei mar estavam contaminadas! Até lá! Incrível! Muito mais gente, é verdade, tem visitado Pasárgada. Que gente será esta? Dura frustração! Nada me faria perder, no entanto, o meu ânimo pasargadiano. De jeito nenhum. Comecei a dialogar comigo. Velho hábito meu. E a observar as pessoas, do que também gosto muito. Os comportamentos, gestos, atitudes... A linguagem, não, definitivamente não, afinal, estava em Pasárgada, de férias.

Notei, logo de início, que às pessoas passantes (não se trata aqui de esnobismo linguístico, simplesmente adequação ao contexto), de 60 anos mais ou menos, eram dadas várias vantagens: boas reduções de preço, meia-entrada nos passeios, nos parques... Até na sorveteria, o rapaz do caixa, ao me aproximar dele, teve a intenção de me cobrar a metade pelo meu sorvete de tapioca. Mas seu chefe, certamente, não consentiria. Pude constatar seu desagrado. Porém, não deixou de me servir mais uma bola de sorvete. Coisas de Pasárgada.

Foi, então que, dialogando comigo e, sobretudo, observando hábitos e comportamentos, que pude compreender, enfim, a reação dos homens presentes naquele banheiro masculino de um megashopping do Rio, encontrado depois de percorrer os seus intermináveis corredores à procura dele. Por que, afinal, o espanto com a minha entrada? Eu sou homem! Ué, qual o problema, pois? Quem anda de graça em ônibus e metrô, paga meia-entrada em cinemas e teatros, tem prioridade em filas de bancos, mercados, aeroportos... (no caso do aeroporto, vá lá, confidencio, é um conforto só!), é um deficiente, sim, um deficiente!, por que acha que seriam as concessões, os privilégios? Logo, seu lugar é no banheiro dos deficientes.

Pasárgada me proporcionava assim a compreensão de fatos antigos ocorridos em outro reino.

Sem mar para tomar banho (minhas pretensões quanto a ele eram modestas, afinal sou um homem que ando de graça nos transportes públicos, em respeito à minha idade), me pus a observar as pessoas, com que me distraía bem. É certo que fui a uma praia afastada, de águas limpas, de ondas perigosas, no entanto. Passei o dia lá. Os quiosques, só mesmo em Pasárgada! Eram imensos, verdadeiras ilhas de prazer, com tudo a que você tem direito: piscina, banheiros, e até um festival gastronômico. Tinha espaço para artesanato também. Mas a gastronomia é que me prendeu mais tempo por lá. Poderia, então, dar vazão ao glutão que mora em mim, sem culpas citadinas, o que era ótimo. Pasárgada, sempre cúmplice. As bandejas, sustentadas por gentis garçons, voavam sem cessar sobre a altura dos meus olhos e boca insaciável: patinhas de caranguejo, cocadas, frutas diversas, carne de sol em fatias, batidas várias (abusei, não posso esconder, da de caju), cervejas geladinhas... Os quiosques eram protegidos do sol por palhas envelhecidas de carnaúba, o que garantia ao local uma sombra das mais aprazíveis, sempre com aquela brisa bem relaxante, propícia a uns breves cochilos.

No hotel, conheci um italiano simpático. Gosto, em geral, dos italianos. Da Itália, com sua história, seu acervo artístico, seus costumes, suas belas mulheres (me refiro às não anoréxicas). Ele tentava, com uma ou outra palavra em português, se comunicar com alguns hóspedes. Estava com a mulher, tinha um filho, que ficara na Itália, para cuidar dos interesses da família. Um dia, eis que o casal se senta a uma mesa, ao lado da minha, para o café da manhã. Já conhecia sua senhora da piscina. Onde um estava, o outro não costumava se encontrar. Um casal junto há tantos anos! Naquele dia do café da manhã, observei (não estava ali pra isso?) que a senhora gostava muito de caju. Chegava a levar dois em sua bolsa, para saboreá-los depois. Achei que eram poucos. O que são dois cajus? Fui até a mesa das iguarias matinais, e peguei três cajus. Era hóspede do hotel. Aproximando-me dela, sob o olhar do italiano, lhe ofereço os três cajus. Ficou surpresa, lhe disse que os levasse em sua bolsa, sem problema, com o assentimento do marido. O problema foi da bolsa comportar os cinco cajus. Nem com quatro a bolsa fechava. Esperta, colocou uma espécie de lenço longo, cobrindo a bolsa, com um caju ainda do lado de fora. E, rápido, tratou de levantar-se e sair ligeiro do salão. Se sentia uma pessoa suspeita, em seu andar bem corrido e fisionomia tensa. O marido riu e, estando eu sentado, me deu um beijo na cabeça. Um careca beijando um calvo, ligados por uma boa ação. Só em Pasárgada.

Gente boa, em geral, a de Pasárgada. Atenciosa, delicada. No hotel, nos restaurantes, nas lojas comerciais. Na orla litorânea, encontrei o hábito, mais do que isso, a lei de trânsito, parece que existente em outras cidades, segundo a qual é o pedestre que para os carros. Basta você por os pés no asfalto, manifestando a vontade de atravessar, que, de imediato, os carros param. Não há lembrança de acidente. Mas, em nenhuma ocasião, ao atravessar, consegui me sentir seguro. O máximo que alcancei foi, vacilante, por um dos pés na rua. Os taxistas é que se mostravam muito mal-humorados, na sua maioria, em qualquer trajeto. Sei lá por quê! Encontrei, afinal, um, que passei a convocar em algumas de minhas saídas. Seu nome: Áries. Meu nome, foi logo dizendo, é o nome de um signo. Mencionou a data inicial e a final da vigência do signo. Certas pessoas ficam receosas comigo. Esclarecem que os arianos não batem na porta, a derrubam. Nada entendo de horóscopo. Mas tenho pessoas queridas, fui me lembrando, de Áries, que nunca derrubaram uma porta, ao que sei, claro. Devem ser os arianos fundamentalistas, só pode ser. Minha mãe me dava uns cascudos, é verdade, quando criança, sobretudo quando tirava nota baixa na escola. Nota baixa para ela, que era exigente. Mas derrubar a porta do meu quarto? Interpretava os cascudos como a necessidade, no correr de minha vida, de tirar notas altas para assegurar um lugar respeitável na sociedade. Crença de criança...

Naquele quiosque paradisíaco da praia afastada, não mencionei uma das delicadezas dos gentis garçons, que ficavam se revezando no oferecimento de variadíssimas iguarias. Vejam só o zelo deles. Depois de uma patinha de caranguejo, depois de um queijo coalho tostado, depois de uma batida de caju, eis que o garçom da vez, direcionado para mim, me indaga: um Viagra? Me pegou de surpresa, total perplexidade! Será que o quiosque também tem "lugares reservados"? É tão extenso, tão acolhedor! Minha imaginação voava. Daqui a pouco, um garçom me ofereceria uma garota, com certeza. Não, obrigado, respondi. Passados alguns minutos, vem outro garçom, sempre voltado para mim, e a mesma indagação: um Viagra? Assim é demais, resmunguei. Olha para minha cara, e vem a indagação. Está pensando o quê? Eu sei, sou homem de "meia-entrada"! Não escondo, não posso esconder de ninguém. E daí? Foi quando um amigo chegou e riu muito. Cara, Viagra aqui é ovo de codorna. Aqui em Pasárgada, é voz corrente que alguns desses ovinhos são melhores do que a conhecida pílula azul. É do dialeto daqui. Precisa fazer mais pesquisa de campo por aqui, hein? Terás um rico material. Ainda tive de aguentar esta gozação. E por que o garçom não me mostrou os ovinhos? E se dirigiu só a mim? Perguntas sem respostas. De qualquer maneira, comprei uma embalagem com ovinhos. Pasárgada sempre surpreendente. Pronto, nada mais que um mero problema dialetal, sem qualquer tipo de insinuação.

O melhor lugar para observar, em Pasárgada, as pessoas, em seus comportamentos e atitudes, era o hotel. Gente de todos os lugares tinha descoberto a direção daquele lugar mágico. Talvez porque ficasse sabendo que "lá a existência é uma aventura". No hotel, o salão em que era servido o café da manhã e a piscina se constituíam em espaços privilegiados para fixar mais meu olhar e apurar mais meus ouvidos. Nenhuma paranoia me movia. À falta dos banhos de mar, vez por outra, dava meus mergulhos nas marolas que os hóspedes criavam.

No café da manhã, me chamou a atenção a presença de crianças. Nada contra, absolutamente, fique claro. Apenas, não sabia que iria encontrá-las em Pasárgada, com sua fama (sim, tinha sido testemunha!) um tanto envolta por um clima de luxúria. Este clima tinha mudado, efetivamente. Certa algazarra, então, inevitável. As crianças acompanhadas de seus pais, e uma avó sempre. Nestes pequenos núcleos familiares se podia constatar as frequentes divergências, manifestadas em voz altíssima. Aos gritos! Pronto! Pais irritadiços, crianças respondonas. A avó, coitada, a tudo assistia, com ar de resignação. Era assim mesmo, o que fazer ou falar? Família é família. Não vá pensar que sou contra a família. Sei muitíssimo bem da sua importância na vida social, na educação dos filhos, "célula mater" da sociedade, como gostava de dizer um conhecido meu, para mostrar que o latim aprendido na escola tinha lá deixado suas lembranças, como não? Escolhia eu sempre uma mesa em um canto mais isolado, de onde avistava o mar ingrato, e dali, vez por outra, meu olhar voava pelo salão. Os ouvidos, não. Desnecessário. Poderiam, sim, voar para fora do salão, certamente é do que gostariam! Havia também os casais, sentados frente a frente. Mais idosos, a maioria. Se dependesse deles, o café da manhã seria no maior silêncio. E não porque falassem baixo...

Na piscina, a mesma algazarra nas famílias. Mas não percebi, acreditem, vontade manifesta de nenhum pai de querer afogar algum filho mais rebelde... A situação não chegava a tal ponto. No entanto, observei também, um dia, uma cena bem diversa, única, de profunda emoção. Um pai, um pouco mais velho, caiu na piscina com seu filho, de uns três ou quatro anos. A criança se mostrava receosa. O pai ia conduzindo-o lenta e pacientemente, atravessando toda a piscina e retornando ao ponto de onde saíram. Como era suave o deslizar deles! Em seguida, deixam a piscina. O pai se deita no chão de bruços, braços esticados para a frente. De imediato, o filho, por cima do pai, se deita na mesma posição. Ficaram assim os dois durante alguns minutos, imóveis, a formarem um belo quadro. Em certo instante, há o movimento conjunto, pareciam treinados, de se levantarem, coroado por um demorado abraço. Vontade de tirar uma foto não me faltou. Me falou mais alto, porém, o direito de privacidade dos dois estarem vivendo aquele momento, que ficará guardado em minhas retinas para sempre. Não fixam as retinas melhor certas lembranças do que as das fotos? Enfim, uma cena que ficará como mais uma (mais uma!) recordação de Pasárgada em minha vida.

Chegava o dia de deixar Pasárgada. Já sentia saudades. Sabia, no entanto, "E quando eu estava mais triste/Triste de não ter mais jeito", "Vou-me embora p'ra Pasárgada". A ela podia voltar sempre. Me acolheria. A viagem não era nem breve, nem longa. Sabia apenas que era aérea. De repente, o comandante do voo avisa que já sobrevoávamos Pasárgada. Um clima, de emoção e de perceptível expectativa, tomava conta de todos. Os relógios, como que parados, recomeçam a correr.

A arrumação da mala era um problema. Sempre foi. Na ida, ficou uma beleza. Impecável. Maior mordomia. Quem não gosta? Tudo nos seus devidos lugares. Algumas coisas envoltas em papel. As roupas bem passadas, estrategicamente colocadas. Tive até vontade de solicitar a um funcionário do aeroporto que a revistasse. Queria exibir sua arrumação. Mas podia ser mal--interpretado. No hotel, logo de início, relutei em desarrumá-la, o que, diga-se de passagem, fazia muito bem. Mas não havia outro jeito. Desarrumada a mala, desarrumado foi ficando o apartamento, desarrumado fui ficando eu.

A mala, mais cheinha com as lembranças que levava, foi mesmo um problema. Embora bem espaçosa, temia que ela não fechasse, o que, afinal, veio a acontecer. Me batia certo nervosismo nesta situação. Por isso, desde o início de minha chegada ao hotel, tomei minhas precauções. Era um fato recorrente em minhas viagens! Tratei, por isso, de agradar logo, no primeiro dia, a camareira do hotel. Se não era amigo do rei, por que não da camareira? Um bom-dia sonoro, um sorriso simpático, umas gratificações, muito merecidas, aliás, porque arrumava com esmero, todo dia, meu apartamento abagunçado. No dia da partida, chamei-a, com a maior polidez. Se prontificou de pronto a me atender. Arrumação longe de se elogiar, sejamos sinceros. A mala fechou, era o mais importante. O pesadelo se desfez. Ao chegar de volta, aberta a mala — queria mostrar as lembranças trazidas —, até que fui elogiado. Puxa, progrediu! Qual nada, comparando-se com a perfeição da ida... Mas, ao começar a retirar as coisas da mala, se vai constatando que quase tudo estava molhado, com certo cheiro não agradável, até as lembranças! Como pode? O que aconteceu? Foi a arrumadeira. Não podia ter confiado tanto nela... Mas qual a causa daquela molhação toda? Não se descobria. Até que deparei com um vidro vazio e sem a tampa. Eis o responsável. A própria mala novinha sofreu com o líquido derramado. Era um vidro de Cepacol! Salvaram-se, felizmente, as iguarias: as rapaduras e os doces de caju. Fiquei pensando então: rapadura embebida com Cepacol! Quem sabe, experiências ainda não foram feitas, poderemos descobrir uma mistura com fins terapêuticos. Lá em Pasárgada, eles não tinham seu viagra local? E se o novo produto fosse aprovado? Talvez um pouco temperado, quem sabe, com uma das boas pingas de Pasárgada. Um viagra carioca? E até a dialetologia do Rio poderia ganhar também um novo termo, com o espírito galhofeiro dos cariocas.

Foram dias felizes em Pasárgada. Renovadores. Sem horários. Pasárgada era a mesma de outras temporadas? Não. Mas mudou ela, ou mudei eu? Diria que mudamos, ela e eu. Em quê? Nos tornamos talvez menos inocentes. Mais armados. Mais céticos. Mesmo assim, consegui me desligar da vida agitada, tensa, competitiva, "Noventa por cento de ferro nas calçadas/Oitenta por cento de ferro nas almas" (ave, Drummond!) das grandes cidades. Pasárgada, não só o mar, um tanto contaminada pelas pessoas que, em maior número, passaram a procurá-la. "Em Pasárgada tem tudo/É outra civilização." Com um rei amigo de tanta gente, com a mulher dos sonhos de muitos, a nos contar histórias quando estivermos cansados, a nos namorar nas tristezas que batiam com a chegada da noite. Sim, é certo, Pasárgada perdeu certos encantos. A humana gente se dirigiria a ela com os mesmos anseios?

Pasárgada, no entanto, se mantinha Pasárgada. De novo, lá fui feliz. Vi ainda pessoas mais descontraídas, livres. Vi adultos brincando como crianças. Vi pessoas mais velhas a sorrirem, a se movimentarem. Vi pessoas dançando sem saberem dançar. Vi crianças e adultos a nadarem, sem saberem nadar. Vi casais e mais casais de mãos dadas. Vi o prazer de todos a saborearem as iguarias de lá. Vi o encontro de tanta gente, como se fossem encontros marcados. Vi a alegria reinante nos restaurantes, no pequeno shopping, no mercado, nos passeios à beira-mar... Todo mundo parecendo se conhecer. Forte rei faz forte a fraca gente? Pasárgada mantém assim, mesmo perdidos certos encantos, aquele clima que nos rejuvenesce, nos fortalece, nos alimenta de esperanças, nos faz acreditar em nós e no outro, naquele convívio que torna humana a vida. Como já dói a saudade de minha Pasárgada!

Rumo a uma outra Pasárgada

Fui conhecer uma outra Pasárgada, que não a do poeta. Terra de grandes escritores, cujos nomes se tornaram conhecidos pelo mundo. Lá também tem um rei, de quem não sou amigo, e mesmo muita gente da cidade não o vê com simpatia. Me contaram que costuma andar de bicicleta pela orla das praias às três da manhã, para não ser visto e incomodado. Logo, me veio à lembrança aquela marchinha antiga de carnaval: "Mas, afinal, que rei sou eu?" Sei lá a resposta que ele se daria! Certamente, muito diferente da letra da musica: "Sem reinado e sem coroa/sem castelo e sem rainha/Afinal, que rei sou eu?" Pelo menos castelo e rainha(s)...

A viagem começou com um voo tranquilo, em que até serviram, para surpresa minha, um lanchinho bem apetitoso. Pensei que me fossem cobrar no final. Maldade minha! Ao meu lado, junto à janela, uma senhorinha viajava sozinha. A certa altura, me comunicou em voz baixa que precisava ir ao toalete. Prontamente, nos levantamos, meu companheiro de fileira e eu. E lá foi ela rapidinho pelo estreito corredor da aeronave. Na volta, lhe oferecemos o assento perto do corredor. Declinou delicadamente. Gosto de ficar contemplando as nuvens, apesar de já ter viajado muito. Sabe, divido meu tempo entre o Rio e esta outra Pasárgada. Tenho minha poupança para quê? São paisagens diferentes, ambas lindas, as pessoas têm hábitos distintos, as melodias da língua então... Ah, os cardápios! Como se come bem nestas duas cidades! Tudo com moderação, claro, ainda mais na minha idade. Chegamos, enfim, à outra Pasárgada. Perguntei à senhorinha se levava bagagem de mão. Não, está tudo em minha bolsa. Por isso, fica pesada. Segura, para ver. Muito pesada para a senhora. Já não ouviu falar que bolsa de mulher tem de tudo? Deixamos que ela fosse à nossa frente, preocupados de ela carregar tanto peso. Pois ela desceu a escada do avião com toda a segurança e acelerada foi se encaminhando para a esteira das malas. Me diga quando se aproximar a sua mala para eu pegá-la. Me apontou quando ela corria pela esteira. Coloquei-a num carrinho. Antes de se afastar, me deu um beijo carinhoso: obrigada, sussurrou. E lá foi ela, sempre rapidinho, até a perdermos de vista. É, pensei eu, o importante na vida é usufruirmos da liberdade, o mais que possamos, sobretudo quando chega o outono da nossa existência.

Não curti o hotel em que me hospedei, embora tão bem recomendado. Certa antipatia à primeira vista. Estas coisas acontecem. Pouco receptivo, frio. E não é que os transtornos foram se acumulando? No primeiro dia, sem água quente, o ar-condicionado central, fraquinho, fraquinho... Ao voltar de um passeio, por volta das 15h30, o quarto, no dia seguinte, não tinha sido arrumado, nem ao menos as toalhas trocadas! A camareira tem até às 16h para arrumar! E o meu descanso, afinal, estou de férias? Na Pasárgada do poeta, tal não aconteceria. Reinava o respeito a cada hóspede. Também no café da manhã, senti saudades dela, pela variedade do cardápio e pela alegria reinante. Mas, sabemos, "Nada do que foi será/De novo do jeito que já foi um dia/Tudo passa, tudo sempre passará/A vida vem em ondas como o mar". A piscina era, a rigor, um tanque. Ao entrar nela, uma tarde, só consegui ficar em pé, parado. Não que eu fosse capaz de sair nadando, com vigorosas braçadas. Este tempo já passou. Verdade que nunca fui um nadador sequer razoável. Na minha permanência no hotel, no entanto, o mais frustrante mesmo foi nenhum hóspede me ter chamado, de alguma maneira, a atenção, merecido minha observação mais atenta. Não via as pessoas se comunicarem. Cada qual com seu grupo. Que fazer? Positivamente, não sentia, pelo hotel, que na cidade a existência fosse uma aventura, que estivesse em outra civilização.

Tinha de sair para passear. Comecei, então, felizmente, a notar várias situações bem simpáticas, como na Pasárgada que não deixo de visitar. Respeito aos mais idosos, numa cidade de gente, em geral, bem jovem. Os carros, todos novos, não param para você atravessar, afinal, tem os semáforos, como dizem lá. Mas se um idoso manifesta o desejo de atravessar, na avenida litorânea, de muito movimento, tem motoristas que acenam para você passar. Numa excursão, com direito a um city tour e a um passeio a uma praia um pouco afastada, a guia se mostrou bem falante, organizada em sua exposição, com muito bom conhecimento da história da cidade, desde a sua descoberta à atualidade. Apresentava até mesmo espírito de humor. Ao discorrer sobre iguarias da terra, disse, enfaticamente, que devíamos provar o caldo de sururu: além de delicioso, era o viagra local, de efeito mais que comprovado. O sururu é uma espécie de marisco. A guia falava entusiasmada... Vamos ver, vamos ver... Esta mesma guia me surpreendeu, ao descermos do ônibus, já na praia. Na minha vez de saltar, me esticou a mão para me ajudar. Tudo bem. O problema é que continuou de mão dada comigo. Caminhamos assim até chegarmos à praia, ao que seria meu porto seguro. Estava eu de óculos escuros, mas enxergava bem! O desconfortável? Andamos um longo caminho, desde o ônibus, tendo eu a impressão de estarem todos nos observando. Ela parecia me julgar já meio inválido, mormente naquelas paragens desconhecidas por mim. Sem nenhum preconceito: media a minha guia, assumidíssima, menos de um metro e meio, e de largura, deixemos pra lá... Primeira pedida ao atendente de praia: um caldinho de sururu! Observei, aliás, que, nas mesas vizinhas, a solicitação foi a mesma.

Esta outra Pasárgada tinha suas inegáveis belezas naturais. Aqui, a beleza é esplendorosa, me disse um quase garoto ainda, a vender pacotes turísticos. A orla é linda mesmo, com seu mar maravilhoso, suas palmeiras de tonalidades várias, seus quiosques, eles sim, alegres, sempre com aquela brisa a nos bafejar, a nos relaxar, embalados ainda por uma música popular brasileira da melhor qualidade. Foi ali que me senti mais próximo da minha Pasárgada. As pessoas pareciam com as de lá. Sempre a comparar as duas Pasárgadas. Na vida, afinal, não estamos, a cada momento, comparando?

Mais uma vez, provei ser a mim mesmo um glutão que não se aposenta. Mas já era tempo... Sobretudo nestes passeios, em que certas iguarias evocavam as minhas raízes familiares, como deter este comilão, que sente tanto prazer com os sabores culinários? Nesta outra Pasárgada, reconheço, todo dia era um festival de tudo o que me apetecia muito: carne de sol, tapioca, frutas locais, com seus sucos, e sorvetes, e doces, e bolos e... a novidade, o caldinho de sururu.

Me senti velho, velhíssimo, nesta viagem, pelos excessivos cuidados tomados comigo. Era só eu aparecer, que as portas se abriam para eu passar, e isto até ao final do passeio. A cena derradeira tinha de ser, então, no aeroporto de lá. Chamados os passageiros do meu voo, todos se dirigiram ao portão de embarque. Com o meu assento garantido, não me apressei, embora pertencesse ao grupo das pessoas especiais. Quando me aproximava do portão, com várias pessoas à minha frente, uma jovem e bonita aeromoça me vislumbra não sei como. E, em voz alta, diz: abram espaço, por favor, para este senhor passar! Todo sem graça, chego fácil a ela, que me dá a mão e me conduz até perto da aeronave. De novo, me batem os versos da canção: "Tudo muda o tempo todo no mundo/Não adianta fugir/Nem mentir para si mesmo agora/Há tanta vida lá fora, aqui dentro sempre/Como uma onda do mar..."

Ser autor (I)

Escrever é difícil? Parece que sim, a julgar pelo que ouço de pessoas muito diversas, até mesmo de escritores. Imagine para os pobres mortais! E, sobretudo, acrescentaria, numa sociedade que se julga e é julgada por não saber, em geral, escrever. Até mestrandos e doutorandos, vejam só, recorrem a colegas, selecionados da área de Letras, que supõem "saber português", para uma boa revisão do que rascunharam em seus trabalhos acadêmicos. No meu tempo de docência universitária, ouvia, frequentemente, alunos comentarem que concluiriam o curso sem saberem escrever, que o português era difícil, com muitas regras e exceções! Tomava fôlego, quando este comentário era feito em sala de aula e, como não quem quer nada, indagava informalmente a um aluno: Por que você acha que não sabe português e que nossa (!) língua é difícil? Resposta invariável: Não domino bem estas classificações gramaticais e tenho também meus vacilos quanto ao uso da norma culta! Veja a gramática do inglês! Bem mais simples, não? Então, você escreve bem textos em inglês? É, mais ou menos... Respiro fundo. Me lembro logo do Mário Quintana em situação semelhante: "Um dia de espantos, hoje. Conversando com uma rapariga em flor, estudante, queixa-se ela da dificuldade da língua portuguesa, espanto-me: Mas como pode ser difícil uma língua em que você está falando comigo há dez minutos com toda a facilidade? Ela ficou espantada." Meus espantos eram frequentes... Ainda são! A escola, embora queiram alguns tampar o sol com a peneira, estimula a cultura do erro, contribuindo muito, e desde cedo, para perpetuar esta avaliação de que a língua é difícil, de que escrever "um texto correto" então nem se fala! Basta uma concordância, uma regência, "as sintaxes de exceção"... Passava para os meus alunos testemunhos de alguns escritores, valorizados como tais, o de Rachel de Queiroz, por exemplo: Se eu dependesse, afirmava, para escrever, do domínio dos nomes tão complicados presentes no ensino da língua (ela se divertia), eu não poderia ser escritora. Como é mesmo? Oração reduzida de gerúndio? Sujeito inexistente? Substantivo epiceno?, caçoava. E ela, acrescento, mesmo pela fala da narradora, nem sempre se vale da língua bem comportada. Escrever, na verdade, ainda que adotado certinho o português que é ensinado, exige bem mais da gente: o conhecimento do real, a ordenação das ideias, o domínio do gênero textual, a intenção comunicativa... Muitos outros conhecimentos, enfim! A vivência dos bancos escolares prossegue atuante pela vida afora, qual uma corrente. Nos tornamos adultos, com curso superior, e carentes ainda de um professor, por perto, para nos corrigir! Não dá para entender, dá? Só os escritores (e, atualmente, nem todos, nem todos...) e os que se arvoram em conhecedores da língua escapam de uma avaliação severa. Eta língua difícil! Eta sociedade que fica então a afrontar o uso da língua legitimado pelas autor(idades)! Como alguém ficar seguro de se assumir como autor, na escola e na vida, com tanto isto não pode, isto deve ser evitado, isto afronta as leis da língua, isto é de emprego não referendado pelos escritores (quais, na verdade?), isto, tenham paciência, é lá português? Perguntinha tola que me fica incomodando (gosto de me complicar — neurose? — com indagações perturbadoras): que língua falam todos os brasileiros (e são tantos!) sem escolaridade?

Fui a uma boa papelaria comprar um cartão para escrever a uma amiga, que aniversariava. Em minha procura, fui me dando conta de que eu só selecionava cartões com ilustrações de gosto duvidoso para mim: em geral, multicoloridas, florezinhas que estressavam o cartão, com variedade nas partes externa e interna deles, borboletas estilizadas então, em quase todos... E as mensagens? Sem erros gramaticais, diga-se logo! Mas que mensagens tolas, com palavras ou expressões mais que gastas, ou, ao contrário, meio solenes, com a pretensão, talvez, de darem ao texto certo sabor literário. Estas mensagens pouco variavam. Pudera!, eram impessoais. Onde o autor? Sempre considerei que a vida, asseguradas certas igualdades, está na diferença. Uma palavra diferente pode nos proporcionar uma esperança nova. Indaguei a um funcionário da papelaria se não havia cartão, desses duplos, sem mensagem, e que a ilustração, caso existente, fosse sóbria (empreguei outra palavra, mais corrente, na ocasião). Não tinha, me respondeu. Coube, então, ao atendente me perguntar: Por que quer escrever a mensagem? Que trabalho! Já estão prontas em todos estes cartões daqui! Capitulei. A sociedade, de modo geral, quer mesmo textos prontos e quase iguais. Reflexo mais evidente de gente que não está habituada a pensar, que acha que não pode ser autora nem de uma frasezinha (para que se expor assim à avaliação de um professor por aí?). Pego um destes cartões: "os primeiros raios de sol", "iluminem seu coração", "fazer seus pensamentos brilharem"... Positivamente não imagino uma criança ou um jovem como autor destas expressões. Para um adulto ser o destinatário, iriam pensar, iriam sim!, que ele as copiou justamente de um cartão destes, que já gozam de certa tradição, não se pode negar!

No fundo mesmo, continuidade de uma rotina escolar antiga, em que o estudante, raramente, se sente autor do que escreve. Ouvi ou li outro dia o comentário pertinente que na escola se faz muita redação, mas se escreve pouco. Diria, que, sobretudo, quando se espera que, no texto, se crie um clima afetivo, com reticências, exclamações, interrogações. A escola se apresenta como a escola do ponto, fundamentalmente. Afinal, quase sempre, o interlocutor do aluno, — um interlocutor potente! —, é o professor. Todo cuidado é pouco... não é? Por isso, muitas vezes, a presença, em textos escolares, de palavras com paletó e gravata, ainda que empregadas inadequadamente. O Manoel de Barros tem razão: Língua solene é coisa de políticos e advogados. É preciso ir ao encriançamento das palavras, palavras-brinquedo, palavras bolhas-de-sabão... Em certas situações, naturalmente. Com crianças então! Para festejar o aniversário de uma amiga, por que, num cartão, não começar a ser autor com um singelo, mas carinhoso "Gosto de você" ou num torpedo com um sempre bem recebido "Um beijo, minha amiga". Garantia assegurada de autoria textual! E de afetividade...

Ser autor (II)

O processo de iniciação à escrita deve ser cercado de alguns cuidados. Talvez, o principal seja o de estimular a criança a assumir a autoria dos seus primeiros textos. Uma fase prévia de reprodução é inevitável. Experiências pedagógicas mostram o entusiasmo da meninada ao ver, no papel, seus primeiros desenhos gráficos a falarem de alguma coisa. Outras experiências já provam que tal entusiasmo vai arrefecendo a partir da terceira série. O que parece acontecer, pelo que andei lendo (as palavras são minhas!), é que os alunos vão sendo freados em seus intentos comunicativos. Como? Por um lado, surgem os ditongos, os hiatos, os tritongos (e a semivogal!), listas de aumentativos e de diminutivos de menos ou nenhuma valia, de superlativos eruditos (amaríssimo, dulcíssimo, macérrimo, que tal?), enfim, muita memorização, para nada, de palavras isoladas, fora de um contexto, como costumam dizer os estudiosos da linguagem. Boas puxadas de orelha levei, porque, ao decorar certos verbos considerados irregulares, não tinha guardado a forma **caibo**! Corri o risco de perder a orelha, mas "eu caibo"? Não imaginava como ficaria em uma frase: eu caibo...! Um amigo me contou (não consigo esquecer) que, ao escrever uma carta, vacilou no plural de **anão**. Plurais que costumam ser também passados por aquelas listas, com a possibilidade de serem aceitas duas ou até três formas para serem memorizadas. O problema era reter na memória que palavras eram essas, tão cordatas. Na dúvida entre as três possibilidades previstas, tomado certamente pelo medo de errar, meu amigo apelou para esta inusitada expressão: "um anão e outro anão"! Por outro lado, nasce cedo para os estudantes a cultura do erro, que marca ainda o ensino e que impregna a nossa sociedade, sem que ela se dê conta do processo. Quase todos nós nos tornamos, mais ou menos, reféns dela. Passei por isto, sei bem, uns bons anos, e, pior, ao lado da cultura do pecado! Nossa! Era muita culpa! Não pense, minha gente (que pretensão!), não pensem, meus esporádicos leitores, que esteja eu a considerar a escola a grande vilã desta dificuldade de o menino, o jovem e o adulto assumirem a condição de autores dos textos que escrevem.

Não, de fato, ela não é a grande vilã, mas tem lá a sua responsabilidade. O grande vilão é o Estado, os governos que, já por décadas, o administram. De qualquer tendência política. Um sistema educacional com mazelas de toda sorte; a falta de estímulo forte à cultura, à leitura, pois; a desvalorização crescente do magistério e, portanto, de sua formação; um número bem elevado de professores que não são professores, pois nem o curso médio têm! E, tudo isso, numa sociedade com espantosa mobilidade, em verdadeira ebulição. Está certo, muitas escolas, situadas em áreas socioeconômicas privilegiadas, poderiam e deveriam ser melhor administradas. Mas o quadro geral, por este Brasil continente, é de muita carência! Como ficar eu aqui pensando na ação docente que venha a estimular os alunos a assumirem a condição de autores de suas mal traçadas linhas...? Porque penso que este processo deve começar o mais cedo possível, antes que o sentimento do desalento, do medo de errar, de achar que o português é difícil, tome conta das mentes de nossa gurizada, ainda na inocência de que querer falar, escrever, para contar suas histórias, não é coisa complicada, desde que as histórias estejam em suas cabecinhas.

Os professores podem contribuir, ainda que longe das condições ideais de trabalho, para seus alunos se assumirem como autores. Que escrevam sobre o sabido e o desejado, que cada texto tenha sua função (da informativa à pilhérica), que se dirijam a interlocutores variados, próximos dos reais. Fora da escola, não é em que cada mortal pensa? Escrever sobre o quê, para quê e para quem? Fácil, não? Não espantemos nossos estudantes, ou não permitamos que a apatia engesse o seu mundinho de conhecimentos e de afetos, com semivogais e epicenos!, nem com a palmatória de uma língua ainda afastada deles. Ela chegará a eles, calma!, gradualmente, se ela lhes for sendo transmitida com adequação pela escola. Mas, e este **mas** é importante, eis uma função que não é só da escola (que alívio para os professores!). Vai depender, e muitíssimo, das oportunidades que cada estudante tiver culturalmente, em maior convívio com a língua prestigiada. Que tal substituir a cultura do erro pela cultura do estímulo? Apenas ele deve estar dentro dos que lecionam. Difícil? Diria necessário, para, até mesmo, afugentar a rotina que, frequentemente, se apodera do nosso ser docente.

Os celulares

Resolvi optar pela forma de plural, pois vejo tanta gente agora com, pelo menos, dois. O que me pergunto é como se comportaria a maioria das pessoas sem celular, como viver hoje sem ele? Uma epidemia neurótica grave atacaria a população? Certamente! Quem não tem seu celular hoje em dia? Crianças, cada vez mais crianças, lidam, e bem, com ele. Apenas uns poucos retrógrados, avessos ao progresso tecnológico. A força consumista do aparelho foi crescendo com a possibilidade de suas crescentes utilizações. Me poupem de enumerá-las, pois só sei de algumas. De fato, ele faz hoje em dia de um tudo. Diria mesmo que o celular veio a modificar as relações do ser humano com a vida e com as outras pessoas.

Até que não custei tanto assim a aderir a este telefoninho! Nem posso deixar de reconhecer que ele tem me quebrado uns galhos importantes no corre-corre da vida. Mas me utilizo dele pouco e apenas para receber e efetuar ligações. Nem lembro que ele marca as horas, possui calendário. É verdade, recebi uns torpedos e, com dificuldade, enviei outros, bem raros. Imagine tirar fotos, conectá-lo à internet, ao Facebook! Não quero passar por um desajustado à vida moderna. Isto não! No computador, por exemplo, além dos e-mails, participo de rede social, digito (mal), é verdade, meus textos, faço lá algumas compras e pesquisas... Fora dele, tenho meus cartões de crédito, efetuo pagamentos nas máquinas bancárias e, muito importante, sei de cabeça todas as minhas senhas, que vão se multiplicando. Haja memória!

Mas, no caso dos celulares, o que me chama mesmo a atenção é que as pessoas parecem não se desgrudar dele, em qualquer situação, ou ligando para alguém, ou entrando em contato com a internet, acompanhando o movimento das postagens do face, ou mesmo brincando com seus joguinhos, como procedem alguns taxistas, naqueles instantes em que param nos sinais ou em que o trânsito está emperrado.

Não há como negar, contudo, que esta utilização constante do aparelhinho tem causado desconfortos sociais. Comenta a Danuza Leão: "Outro dia fui a um jantar com mais seis pessoas e todas elas seguravam um celular. Pior, duas delas, descobri depois, trocavam torpedos entre elas." Me sinto muito constrangido quando, num grupo, em torno de uma mesa, tem alguém, do meu lado, falando, sem parar, pelo celular. Pior, bem pior, quando estou só com alguém, e esta pessoa fica atendendo ligações contínuas, algumas delas com aquela voz abafada, sussurrante... Pode? É frequente um casal se sentar a uma mesa colada à minha, em um restaurante e, depois, feitos os pedidos aos garçons, a mulher e o homem tomam, de imediato, os seus respectivos celulares. E ficam neles conversando quase o tempo todo, mesmo após o início da refeição. Se é um casal de certa idade, podem me argumentar, não devia ter mais nada para conversar. Afinal, casados há tanto tempo! Porém, vejo também casais bem mais jovens, com a mesma atitude, consultando, logo ao se sentarem, os celulares para ver o movimento nas redes sociais, ou enviando torpedos, a maior parte do tempo. Clima de namoro, de sedução, é que não brotava dali. Talvez, alguém parece ter murmurado em meu ouvido, assim os casais encontraram uma maneira eficiente de não discutirem. Falando com pessoas não presentes ali. A tecnologia a serviço do bom entendimento, de uma refeição em paz.

Mas vivencio sempre outras situações em que o uso do celular me prende a atenção. Entrei em um consultório médico, uma senhora aguardava sua vez na sala de espera. Deu para perceber que ela acabava de desligar seu aparelho. Mas, de imediato, fez outra chamada. Estava sentado próximo a ela, que falava bem alto. A ligação era para uma amiga bem íntima, estava claro pela conversa desenrolada, desenrolada mesmo. Em breves minutos, não é por nada não, fiquei sabendo de alguns "probleminhas" da vida desta senhora. Não, não vou aqui devassar a vida dela, nem a própria me deu autorização para tal... Afinal, sou uma pessoa discreta. Não pude foi evitar escutar o que minha companheira de sala de espera... berrava. Para não dizer, no entanto, que não contei nada, também é discrição demais, só um pequeno detalhe, sem maior surpresa: ela estava a ponto de estrangular o marido. O homem, não posso afiançar, aprontava as suas. Do outro lado, a amigona parecia estimular bem a infortunada senhora. De repente, me impedindo de saber mais fatos, a atendente chama a senhora, chegara a sua hora de adentrar ao consultório do médico. Não sei como ela, bastante exasperada, iria enfrentar um exame, na verdade, delicado. Não deu para vê-la sair pela outra porta. É, os celulares criaram estas situações, propiciando já a formação do que poderá vir a ser chamado de auditeurismo, que ficará, assim, ao lado do antigo voyeurismo.

Os taxistas

Vendi meu último carro há uns cinco anos. Muito oneroso mantê-lo e de pouca serventia. Mecânica, combustível, seguro, taxas... E ficava a maior parte do tempo na garagem. Sim, para minhas saídas costumeiras, onde estacioná-lo? No cinema, a preocupação não me deixava. Aquele guardador não é nada confiável, afinal, já recebeu sua remuneração! (Não posso falar em gorjeta, pela quantia que exige!). Tive o carro furtado, fui assaltado, sofri com pneu furado na ponte, vivia angustiado sempre que dirigia carro novo (um simples arranhão me deixava arrasado!), os mecânicos falavam uma linguagem que não entendia... Chegava, às vezes, a temer o meu carro agonizando em estado terminal... Tempo de me aposentar! Minha relação com os carros que comprei nunca foi de amor, diria. Certa cumplicidade, às vezes. Nada além disso. Sensação de que não eram confiáveis. Ao sair de casa, às pressas, resolvia empacar. Acabava pegando um táxi. Nunca fui, pois, um motorista entusiasmado, como tantos que conheço, vaidoso de estar dirigindo o seu carro. Talvez, por isso, o tratamento mais para frio que estas máquinas me dispensavam. Só o primeiro carro, carrinho!, que pude comprar na época, me despertava certo orgulho, e ternura também!, por ser o primeiro. Afinal, já podiam ver que eu sabia dirigir. Creio que fui um motorista razoável, não isento, claro, de barbeiragens. Tive um bom instrutor. Algo impaciente, é verdade. Adquirira o hábito, coitado, já devia estar cansado da profissão, de aplicar uns tapas, algo fortes, na minha perna, quando cometia um equívoco. Cheguei a indicá-lo para uma amiga, que não escapou também dos tapas. Considerou quase uma agressão, uma falta de respeito, e tratou de abandonar as aulas. Dei o seu nome para uma segunda amiga. Foi pior. Recebido o tapa, ela, na época, me falou em palmada, levantou os pés, gritando, quase causando um sério desastre. Falta de responsabilidade minha? Só hoje, tão distante no tempo, me ocorre esta ideia. Mas só por uns tapas? Não sei, mas a severidade dele me foi benéfica, me passava confiança, me ensinou bem a entrar em vagas, importante para a prova de baliza. Verdade que não fui aprovado logo no primeiro exame. Desatenção minha! Fiquei é com medo de levar uns tapas dele, e aí já não mais na perna! Qual nada, percebi que estava pra baixo com a minha reprovação. Eis-me em recuperação, tendo levado, mais uns bons tapas! Enfim, de posse da minha carteira de habilitação, no segundo exame. A figura deste instrutor ficou guardada na minha memória.

Uma vez sem carro, acertei comigo que só andaria de táxi ou de metrô. Mesmo assim, gastaria menos do que com meu carro. E adeus para o estresse automobilístico. Passei, então, a conviver com os taxistas, e eles comigo. Alguns primam pelo trato fino, desde o cumprimento inicial educado até o "fica com Deus", "bom descanso", ao sair. Outros, um bom dia meu sem resposta, além de uma música altíssima e uma direção de causar medo. Silêncio na saída. Convivo com motoristas de faixas etárias bem diversas (uns já bem velhinhos, curvados), motoristas falantes ou mudos, motoristas de conversa irritante ou com ótimo papo, motoristas de todos os segmentos sociais, motoristas bem-arrumados ou descuidados na aparência, incluindo aí o zelo, ou a falta dele, com o veículo, afinal, se trata de um serviço de concessão pública, como se costuma dizer e repetir. O certo mesmo é que me surpreendi gostando de bater papo com alguns profissionais do volante. Mantenho diálogos bem interessantes, descontraídos. Aconteceu até de eu não saltar logo da corrida, tão agradável estava a troca de ideias. Um, mesmo sabendo não ser eu psicólogo, me pediu, numa rua tranquila, se eu podia ficar mais uns cinco minutinhos, taxímetro parado, para ele concluir seu desabafo. Não tenho ninguém para contar estas coisas. (Estas coisas era a mulher dele!) Não poucos têm curso superior, foram bancários, funcionários da falecida Varig... Preocupação com os filhos é uma constante. O sonho? O diploma de curso superior e o consequente bom encaminhamento profissional deles. Já quanto às mulheres, uma visão, em geral, irritadiça: gastam muito, estragam os filhos, reclamam de tudo... Aposentadoria? Nem pensar! Ficar o dia inteiro em casa, aturando a mulher? Morreria em pouco tempo! Mas a família é o núcleo central da conversa deles. Há, evidentemente, os conquistadores, a falarem de suas proezas masculinas no carro e fora dele. Viajo com algumas mulheres ao volante. Simpáticas, extrovertidas, bem-vestidas. E dirigem muito bem, fique ressaltado! Muito estressados, logo percebo, os que pagam diária, escorchante, desumana. Trabalham, certos dias, 14 horas, para garantirem a diária e o combustível, sobrando-lhes uns trocados. Se irritam fácil com o trânsito, numa luta sem trégua contra o tempo.

Não posso deixar de lembrar certas situações incômodas por que passei, que me exigiram presença de espírito, e certa coragem! Peguei, em plena luz do dia, motorista bem tocado pela bebida, embora, do lado de fora, lá estivessem as palavras da campanha da Lei Seca! Distraídos, cometem lá seus enganos (aliás, parecem cada vez mais distraídos!). Perguntei, de certa feita, a um taxista se conhecia a rua tal. Sim! Relaxei. Na hora de evitar a rampa que conduziria ao túnel, subiu a rampa, para desespero meu. Soltei um grito, mas já era tarde. O senhor também não estava atento, reclamou! A descompostura passada? Não, deixemos para lá, não carreguemos a narrativa! Mas houve situação que me estressou muito: no banco de trás do veículo, não percebi logo que o taxista dirigia com uma perna só, a que tinha. Os pedais, sei lá como, eram acionados com único pé. Me bateu a maior insegurança! Peço para descer ou não? Iria, com certeza, humilhá-lo! Cheguei ao meu destino exausto pela tensão vivida. O celular, este é um capítulo à parte! De início, não obstante saber que é proibido utilizá-lo a quem está dirigindo, fui aceitando a situação. Afinal, até que o telefone me parecia útil ao taxista. Um chamado para uma corrida, uma urgência familiar... Percebia certo abuso, como o de enfrentar uma curva em elevado! Mas dirigiam com tanta segurança... Sim, até que o previsível acabou acontecendo: o carro em que me encontrava bateu em um outro. Não deixei de falar a verdade: meu taxista usava o celular e não teve como fazer o jogo na direção mais rápido. Como o faria, se um dos seus braços estava preso? O colega dele é inocente! Não sou contra a impunidade, a omissão testemunhal? Logo, logo, mudei minha prática permissiva acerca do uso do celular. Devia haver também uma "lei muda" em relação ao celular. Cheguei a armar umas maldadezinhas contra os taxistas que insistiam em falar em seus telefones ambulantes. Sinalizei para um táxi, sem nenhuma intenção perversinha. Uma vez, sentado no banco traseiro, lhe desejei um bom-dia, educado que sou. Nenhuma resposta, celular em ação! Foi o taxista seguindo em frente, em uma animada conversa com moça de Campos. Tive tempo suficiente para apreender o contexto, diria, algo erótico... Não tendo mais como seguir em frente, ousa, só então, me dirigir sua palavra: para onde vamos? Meu amigo, íamos em direção oposta, não era para seguir em frente! E saltei do carro, sem pagar, claro. Sei não, mas por trauma, e pelo medo consequente, me tornei implacável com certos taxistas que insistem em manter conversinhas pelo celular.

Com certa vaidade, por que não?, julgo, no entanto, que tenho sido um bom passageiro. Se não, como explicar, então, a coleção, sempre renovada, de cartões que recebo para se o senhor precisar do serviço, está aqui o meu telefone. E terá um desconto especial...

A *linguagem*:
um mundo maravilhoso

Com minha prática mais continuada de ser que fala, fui me dando conta de que, para desenvolver minha competência de *homo loquens* (o pouco do que resta do meu latim!), não havia outra saída: seria necessário ter acesso a novos modos de dizer adequados a situações ou intenções comunicativas distintas. Ou seja, vir a dizer alguma coisa através de meios de expressão semelhantes, mas que não traduzem, rigorosamente, o mesmo sentido ("Atraente a leitura deste romance!"/"A leitura deste romance é atraente"). Este é, na verdade, o ideal de falante competente, identificado, então, como o que conhece diversas possibilidades de utilização apropriada de palavras e construções da língua. Tal conhecimento não pode ser limitado, então, ao que se considere do uso culto em situações sociais mais formais, já que tal uso não é o esperado em tantas outras e mais frequentes circunstâncias de que nos valemos diariamente na utilização da língua ("Deixa eu em paz"/"Deixe-me em paz"). Quantas vezes não é um falante culto que perturba o diálogo, ao utilizar palavra de todo estranhável a um interlocutor de sabida baixa escolaridade?" Dor forte na barriga, fessô!". "É intermitente, Zé?". "Nossa, então é grave?". Coitado do Zé!

O problema é que a escola e, por extensão, a sociedade parecem estar custando a assimilar a importância de saber expressar, ou entender, um mesmo conteúdo de formas diversas, de acordo com o sentido visado. Todo este palavreado, dito de maneira mais simples, nasceu de uma conversa que tive com Paulo, um aluno já professor, num encontro casual por aí. Não acho nada fácil orientar o ensino, assim, professor! Não se tem o hábito. Como a conversa parecia se alongar, tratei de convidá-lo para sentarmos em algum lugar, em torno de um simples café ou de um chope, minha preferência declarada. Entendo, Paulo, é um caminho novo para você, ainda um professor novo também. Mas percebe que ele é mais útil, e até mais prazeroso, para seus alunos, com vista a uma prática mais diversificada e eficiente da língua? Pense bem: por exemplo, deixá-los confinados ao porque em relação à circunstância de causa? Eles, muitos, muitos deles, o escolhem, e só ele, nas orações causais, e tal uso recorrente, e limitado, não é, em geral, objeto de qualquer observação por parte do professor ("Saiu porque chovia"). Não me refiro, fique claro, Paulo, ao emprego de conjunções pouco usuais, mas a estruturas como "Como chovia, não saí". "Chovia. Não saí"... A resistência, agora não simples omissão, da escola, você sabe, é bem maior quando, em sala de aula, surgem palavras ou construções populares ou coloquiais, pois, continua o ensino, em grande parte, a identificar a língua com norma culta, apesar de todos os avanços dos estudos sobre variação linguística, de que você está a par. Nem quero falar, Paulo, num ensino que tenha como meta maior as classificações gramaticais. Mas procure levar de novo esta sua dificuldade para o nosso curso. Você ficou calado quando se tratou disso. Deve ser algo que colegas seus necessitem também de eu apresentar mais exemplos para a turma, em suma, de conversarmos mais.

Vou te contar, resumidamente, Paulo, o que se passou numa das minhas aulas, no semestre anterior. Já estávamos, então, devorando um suculento sanduíche. Não se esqueça: são alunos--professores. Não é mesmo meu intento, neste bate-papo, ou em qualquer outra situação, você já me conhece, desvalorizar, de algum modo, os professores. O que critico sempre é a formação que estão deixando de receber, são os manuais didáticos, em sua maioria, que não orientam, é a falta de oportunidade de meus colegas de se atualizarem até certo ponto, de não terem diálogo com professores mais experientes, de não conversarem, com frequência, até mesmo com os companheiros de escola, sem falar do autoritarismo, de todo absurdo, de diretores e coordenadores pedagógicos, sim co-ordenadores pedagógicos!, que chegam a exigir quase o conteúdo de cada aula dos seus colegas professores! Como é frequente, em qualquer função de chefia, não se descambar para um autoritarismo nocivo e atentatório à liberdade do professor! Pois bem, numa das minhas aulas, estava tentando mostrar à turma, como já procedi com a sua, a variedade de recurso por que posso, em português, expressar a ideia de intensidade. Fui sugerindo exemplos, pedindo aos alunos que também colaborassem. Partindo de "A professora é muito simpática" e "A professora é simpaticíssima", construções oficiais da gramática, fomos elencando outras: "A professora é ultrassimpática", "A professora é por demais simpática", "Como a professora é simpática!", "A professora é simpática pra caramba ou à beça..." Quando começaram a aparecer estas últimas sugestões, uma aluna exclamou: Bem, professor, não podemos dar tais exemplos numa aula de gramática que trata do grau superlativo! Afinal, a gramática não acolhe estas construções! Será que a estranheza dela, fiquei pensando, não seria a de muitos colegas seus?

    Tentei, Paulo, num esforço pedagógico não previsível, pôr alguma ordem naquela exclamação que continha equívocos a serem desfeitos. Não é, pois, mera demagogia, quando se afirma que o professor pode aprender com as perguntas de seus alunos. Eles, na verdade, internalizam, às vezes, conhecimentos de uma forma não pensada pelos professores. Lya, vou tentar te esclarecer alguns pontos. Não sei se ela estranhou o meu te, estou agora pensando, que certamente empreguei... Paulo riu. Expressões como pra caramba, à beça e muitas outras constam dos dicionários e são muito empregadas, mesmo por pessoas cultas, em certas situações. O uso é, pois, corrente. A gramática que não acolhe estas construções é a gramática que sistematiza os recursos da norma culta formal. Mas esta não é a única gramática da língua, já falamos disto em aula. Numa gramática do português coloquial, de uso geral, estas expressões vão aparecer, sem dúvida, a manifestar intensidade e, assim, a entrarem na formação do superlativo. Lya, não se esqueça: estamos aqui mostrando como a ideia intensiva pode ocorrer na língua de formas diversas, algumas, naturalmente, não documentadas pela norma culta que é utilizada em situações mais formais. Professor, insistiu Lya, mas estas expressões já são do conhecimento deles, não é verdade? Bem pertinente sua ponderação, pois dela se valem até mesmo alguns professores mais experientes. Lya, conhecerem eles conhecem. Mas o ensino da língua não se deve ater ao não sabido, também o já sabido merece atenção, reflexão sobre seu emprego. Levar o aluno a refletir sempre, em qualquer disciplina, eis o objetivo central a ser perseguido pelos professores. No caso do ensino da língua, refletir sobre estruturas idiomáticas já conhecidas e ainda a conhecer. Então, Lya, não basta eles conhecerem certas expressões, mas o fundamental é virem a saber empregá-las com adequação, em determinadas circunstâncias. Desta maneira é que os alunos vão sentir mais concretamente que precisam desenvolver seus recursos para falarem, escreverem, lerem, se quiserem participar mais abrangente e seguramente da vida social. Desta maneira, vão começar a perceber, a observar, que há muitas palavras, expressões e construções, que são do seu domínio, trazidas do seu ambiente familiar, que não podem empregar em toda situação, sob pena de serem mal avaliados socialmente. Precisamos todos nós, Lya, é de saber seduzir pela linguagem. Assim, mesmo numa conversa mais formal, de repente introduzir uma pilhéria, com recursos nem sempre do uso culto, pode ter um valor muito expressivo na argumentação que se vinha desenvolvendo. A Lya se convenceu? — me perguntou o Paulo. Não sei, penso que não, porque, a seguir, algo contrafeita, foi me dizendo: Já vi que o senhor deve ser contra a lista dos superlativos sintéticos! Não só contra esta, como contra qualquer lista, porque lista conduz à memorização, lista não cria contexto, lista não leva, afinal, à prática linguística, que é o que deve contar.

Pena eu não estar presente a esta aula, interveio o Paulo. Ora, trate de fazer as suas indagações a respeito, retruquei. Esta questão de variar os recursos do como se diz é fundamental para a compreensão da língua literária. Sim, saber uma língua é também saber, na leitura e produção de textos, o que não se diz habitualmente. Às vezes, o que o autor expressa não tem nada de maior profundidade, mas o que se sobressai é como ele se expressa, que traduz uma percepção mais aguda da realidade. Posso estar, por exemplo, passando por uma rua e observar que as palmeiras estão carregadas de palmas em movimento, e dizer simplesmente algo como "As palmeiras estão com suas muitas palmas balançadas pelo vento". O Graciliano deve ter presenciado quadro parecido, mas já disse, com seu olhar especialíssimo: "Palmeiras grávidas a se abanarem."

A conversa já vai longe, não é Paulo?, mas me diga, estudando e ensinando a língua assim, não fica mais fácil perceber este mundo maravilhoso que é a linguagem? Pela variedade de seus recursos para a manifestação basicamente de uma mesma ideia, até alcançarmos a expressão estética criada por aqueles que têm com a palavra o seu compromisso primeiro do que escrevem, como fica claro na frase do Graciliano.

Nossa, Paulo, conversamos tanto! Você sabe, estou sempre entusiasmado a falar da linguagem e do seu ensino. Este há muito me preocupa, por pouco que possa contribuir para mostrar este mundo maravilhoso; por isso, nunca fico estimulando a cultura do erro. Bem que tento o meu objetivo com meus cursos. Mas de maneira bem limitada, eu sei, mesmo para meus alunos. A nossa utopia não deve, no entanto, morrer. Portanto, meu amigo, até amanhã na aula. Aguardando, agora, maior participação sua durante o curso.

O menino
e o ensino de Português

Outro dia, passeava pelas ruas do meu bairro, quando, em certo momento, me vejo frente a frente com velho amigo, que não encontrava há tempos. Estava ele acompanhado de um neto, com presumíveis 10 anos. Depois das palavras protocolares, o amigo me disse que iam lanchar e me convidou para ir também. Nenhum McDonald's? Não sou diabético, nem light, mas tomo lá meus cuidados, você sabe... Nos dirigimos a uma casa de lanche bem conhecida, ambiente agradável, cardápio que atendia às gulodices dos meninos e às restrições dos velhotes.

Não sei por que, mas Pedro, o amigo, foi logo falando para o neto que eu era professor de Português. Fernandinho, o neto, até então distraído, ou indiferente, mergulhado lá em seu milk-shake, me olhou com inesperado interesse. Você gosta de ler? — o indaguei. Eu sei, a pergunta poderia ser outra, a que fiz não se caracteriza propriamente pela originalidade. Gosto, foi a resposta seca, e esperada, que recebi em troca. O avô, no entanto, todo orgulhoso, passa a tecer os maiores elogios ao neto: Ele lê quase o dia todo, e também escreve suas histórias. Algumas, já li, são excelentes. Este meu neto promete. Tentei ser menos burocrático em minha indagações: livros que gostava de ler, se conhecia este ou aquele autor. Como construía as histórias que escrevia? Consultava, às vezes, o dicionário? Fernandinho já se revelava, sem dúvida, um menino das letras. Você deve ser um excelente aluno de Português, não resisti ao elogio. Sua professora não pode deixar de ficar orgulhosa de ter um aluno como você. Fernandinho, com uma ponta de irritação, me fez ver que eu estava bem enganado. Não era nada disso! Minhas notas são baixas em Português, e a professora diz que eu não sei português! Certo azedume em suas incisivas afirmações. Antes que eu manifestasse minha estranheza, sincera, o menino fuzila o professor de Português: Sabe de uma coisa? Vocês (!) ficam ensinando à gente o que a gente não entende! Ditongo é o encontro de duas vogais. Mas, depois, dizem: Ditongo é a reunião de uma vogal com uma semivogal. Por que semivogal? Não entendo... O que é semivogal? Nos tritongos então! Uma vogal e duas semivogais! O senhor pode me explicar o que é, afinal, semivogal? Nestas coisas, que não consigo entender, me saio mal nas provas. Por isso sou mau aluno, e isto me deixa triste. Cheguei a dar à professora a minha melhor história, escrita no maior capricho, acredite. Queria que ela visse que escrevia, sem ela me mandar, porque gosto de escrever, sabe? Ela leu na minha frente e comentou: É, está boazinha sua redação, com uns errinhos. Resultado: de volta da escola, corro para minhas leituras e minhas histórias. Fico aliviado desta coisa de ser mau aluno.

O menino, de 10 anos, não parava de falar. O professor de Português? Calado, apenas calado. Só ouvia.

O *pão nosso de cada dia*

Parece que se vai formando um consenso na cabeça de muita gente de que as pessoas ricas (às vezes tão pobres!), são cultas, versáteis culturalmente, devem falar e escrever sempre com propriedade, seduzindo meio mundo. Afinal, são ricas... Todos os livros acessíveis. Viagens pelo planeta. Línguas? O inglês quase sempre é a língua. Nada de estranho neste consenso, e neste contexto, no qual quem impera é a cultura monetária, a ostentação de riqueza sendo meta de vida, celebrada na mídia, quando alcançada. Com o dinheiro tudo se pode, muitas pessoas passaram mesmo a acreditar. Atraente, não? Para tal, o fim justificaria os meios. Estamos vendo este filme quase diariamente. Mas será mesmo que, com o dinheiro, tudo se pode? Que ledo e ingênuo engano! Nos campos da criação artística e científica, por exemplo? No alcance de certo lastro cultural? Diz, com razão, Wisnik, em crônica recente: "A redução... de toda cultura a pautas, ganchos jornalísticos e mercadológicos, efemérides e fenômenos virais" contribui, segundo ele, para este "vazio cultural" brasileiro (e do mundo) hoje, em que passar por culto não fica difícil, concluo eu, com a ajuda poderosa dos meios de massa articulados com a onipresença da publicidade. Discursos homogêneos, repetitivos ao extremo, sobre modismos ou sobre os interesses profissionais, necessários, sem dúvida para vida social, mas ausente constantemente aquele "algo mais" que diferencia, encanta, seduz... Longe, no entanto, de maniqueísmos, uma forma de radicalização: ou isto ou aquilo. Evidentemente que muita gente rica ostenta invejável cultura. A lamentar mesmo, o baixo letramento médio, a atingir uma elite econômica.

Compra-se o tempo na televisão em horário nobre, o espaço nos jornais e revistas mais lidos, compram-se consciências até, mas não se compra o tempo da criação. Grandes poetas e cientistas passam anos sem publicarem, difícil garantirem o seu pão nosso de cada dia com sua poesia ou com sua ciência. Não se compra o talento, a sedução exercida por um amigo em certas rodas, pela sua palavra fácil a envolver a todos, a despertar admiração pelo conhecimento, não erudição, a discorrer sobre vários campos do saber, a despertar, por isso, também inveja.

Lastimável que no meio acadêmico de nossos dias se tenha passado a privilegiar a quantidade de publicações (a propalada "produtividade"), à maneira de uma conta bancária, em que o montante deve ir se acumulando para o professor ser bem-avaliado por agências dedicadas a tal propósito, a acenarem, para os mais produtivos, com bolsas de estímulo, recebidas, na verdade, como complementação de salários indignos, a amenizar o sustento do pão nosso de cada dia. As regras são estas, não há como não segui-las, pois obter a bolsa também dá "status" acadêmico ao professor. Uma bolsa e um maior "status", quem há de...? A verdade é que precisamos de menos publicações, às vezes de valia duvidosa, com muitas repetições em torno de uma mesma nota, à maneira de um samba de uma nota só, e mais doutores que contribuam, efetivamente, para transformar a realidade brasileira em suas áreas de pesquisa.

Os professores da academia, com muitas outras tarefas — tantas que não consigo mencioná-las —, não sei, não sei mesmo como conseguem tempo para publicarem tanto, em tão curto espaço de cobrança. Uma amiga, brincando com a dura realidade, me disse, certa vez, que há colegas que devem estar escrevendo nas filas de ônibus!

Me lembro da noção de "conta bancária" do educador Paulo Freire: quantos livros você leu este ano? Quanto, quanto, eis a palavrinha — indagação, sempre presente, tanto na conta bancária como no mundo intelectual, mesmo fora dos umbrais da universidade, a atender à perfeição ao conceito abrangente de consumismo, característica marcante de nosso tempo. Ele escreveu apenas dois romances e quer se candidatar à Academia!? Obrigação de mercado? Como estimular a leitura dos poetas para oxigenar a vida, afinal, eles é que sabem das coisas e da gente? Eta vidinha chata, se não contarmos com interlocutores interessantes, plurais, com privilegiada leitura do mundo, e, para os quais, o pão nosso de cada dia é ou foi ganho com o apetite de viver sem perder de vista o não conhecido, o diferente, atento às rupturas que se sucedem na cultura do seu tempo.

A sala de aula

Não sei bem por que fui adiando escrevinhar sobre ela. O que sei é que a sala de aula sempre foi um espaço mágico para mim, desde o então curso primário. Venho de longe, minha gente! Acredito mesmo que minha vocação para o magistério brotou precocemente, embora não tivesse consciência de tal. As professoras do primário nos cobriam de conhecimento e de carinho. Poucos alunos em cada sala, o que propiciava um ambiente agradável, de prazer, de troca, sobretudo, reconheço hoje. Que milagre era aquele em que íamos aprendendo, naquele espaço, tanta coisa como que brincando? Tudo nas mestras me encantava: como nos explicavam as lições, o material pedagógico utilizado, o uso do quadro-negro, as leituras que faziam... O colégio, além de um prédio de construção mais recente, abrigava uma velha casa. Em cada sala, me sentia como num cômodo mesmo de uma casa familiar. Quando se passa a saber contar e escrever, o mundo é outro! É a base, tinha razão o Darcy Ribeiro, para começar a sonhar com uma vida melhor.

No ginásio e científico, em outro colégio, mudou muito o clima da sala de aula. Turmas numerosas, mais professores, matérias novas, disciplina rígida. Aquela experiência, riquíssima, de troca entre professor e alunos e entre estes não era mais possível. Não nego que alguns professores manifestavam certo entusiasmo pela matéria que lecionavam. Mas muito daquele espaço mágico se perdera para mim. Sensação, minha, de que o controle, palavra dura pedagogicamente falando, da disciplina era o que devia prevalecer. Nos tempos atuais, a situação é bem outra, eu sei! Porém, naquele tempo? A coisa mágica, não obstante, não desaparecera de mim! O ideal de compartilhar conhecimentos, de acompanhar a aquisição deles, de lançar dúvidas, de gerar controvérsias, o tal *animus docendi*, se instalara, não sei como, em mim; modernamente se diria "estava no meu DNA". Creio que, já nesta altura, estava inclinado a ser professor mesmo. Precisaria apenas de um empurrãozinho, de uma palavra de incentivo, que viria a seu tempo, ao término do científico, através de um mestre que se prontificara a me dar umas aulas de Latim para o ingresso no curso de... Direito! Sua vocação é ser professor, é atuar em sala de aula, me garantia ele, com firmeza! Era só do que dependia para correr rumo ao curso de Letras, em que minha vocação ficaria mais do que sacramentada.

A sala de aula

Ao longo de toda uma vida, tive turmas de várias idades, até só de alunas ou só de alunos, dos diversos níveis de escolaridade, desde alunos do ensino fundamental aos de pós-graduação. Alunos inesquecíveis, alunos arredios, alunos aplicados, alunos desinteressados, alunos agitados, alunos sedutores... Sempre convivendo com eles. O professor deve ter tato humano, pedagógico, para ir se adaptando à realidade particularíssima de cada turma, de cada espaço, escolar, físico, social, afetivo, de uma sala de aula. Até hoje, a sala de aula permanece como um espaço mágico para mim. Me encaminho sempre animado para ela. Gosto de compartilhar meu conhecimento e experiência de vida com meus alunos. Uma pergunta, dentro do contexto da aula, é para ser considerada, ainda que, aparentemente, tola, mas pode revelar, às vezes, uma forma de desentendimento não cogitada. Nem sempre, é evidente, estou paciente, receptivo. Nem sempre estou professor. A vida não nos permite idealizar nada! Por não poder deixar de ser um educador, o professor deve deixar claro, em suas atitudes, que é autoridade na sala de aula. Exercê-la sempre! As condições de ensino atuais muito vêm contribuindo para a perda desta autoridade do professor, fato gravíssimo, que não pode deixar de ser considerado prioritariamente, ao se pensar em qualquer mudança educacional.

Fico triste quando constato, e me é dito, nas minhas turmas dos últimos anos de alunos-professores, que a magia vai cedendo, aos poucos, o seu espaço ao desalento, à impotência ante um quadro de desinteresse, de balbúrdia, de desrespeito, e até mesmo de agressividade. Sinal evidente de uma sociedade desorientada em sua escala de valores e de uma classe dirigente incompetente, longe de se preocupar, com seriedade e tirocínio, com a base formadora de toda a sociedade, que só pode ser a educação.

Permaneço, no entanto, sentindo a sala de aula como espaço mágico, porque, afortunadamente, trabalho em condições próximas das ideais. Sou professor, há alguns anos, de turmas com vinte a trinta alunos, empenhados no seu aperfeiçoamento docente. Me lembro, então, do meu curso primário. Pela interlocução, pelo trabalho solidário durante as aulas, pelo gostar de estarmos juntos, em que atuo mais como um coordenador de pequenos debates, sem deixar de exercer a minha autoridade. Tenho aprendido sim, sobretudo acerca da realidade pessoal e profissional quase de cada um, num clima de descontração, embora aqui e ali com previsíveis desgastes. Minha palavra, em certas ocasiões, se faz necessária para dirimir dúvidas sobre pontos que não tenham ficado claros. Como pode deixar, então, de continuar mágico o espaço da sala de aula para mim? Começou mágico e continua mágico. Não é difícil, é só eu estar atento aos olhares dos alunos, aos seus impulsos de quererem indagar ou aos seus rostos iluminados por alguma descoberta. A magia está na relação, não na competência ou no tom doutoral do professor.

Alunos da outra turma, olhando por uma janela a minha sala de aula, vendo-nos sentados, com as cadeiras a formarem um círculo, indagavam depois aos colegas: Este professor não dá aula, não?

Turbulência pedagógica

Apesar de a sala de aula me ser um espaço mágico e de plena realização humana, passei nela, ao longo de tantos e tantos anos, por algumas turbulências pedagógicas. Como imaginar uma relação humana sem turbulência? Imagine, então, incontáveis relações, vivendo eu momentos existenciais distintos, convivendo com alunos de todas as idades e de sonhos singulares? Até diria que tais turbulências não foram numerosas. Longe disso mesmo. E mais: nenhuma se constituiu num abalo sísmico que estremecesse meu cultuado fervor docente.

Puxando pela memória, fixo-me numa turbulência dos meus primeiros anos de magistério. Muito jovem ainda, assumi uma turma numa escola técnica. Ao conhecê-la, tive a impressão de que os alunos eram mais velhos do que eu. Pelo menos adultos eram. Me olharam, sei lá, com negligência. Desdém? Talvez. Português num curso técnico? Para quê? Perda de tempo! A sensação foi a de que não me escutavam, conversando, abertamente, entre si, ou absortos em seus devaneios. Ao proceder à chamada, levantavam a mão com evidente enfado. Tentei ser simpático, como a dizer-lhes: Olhem, sou boa gente, quero ser útil a vocês, afinal, vão sempre precisar do português para escreverem seus textos, com clareza, correção, adequação. Um texto que não atenda a estes requisitos causará má impressão, podendo vir a prejudicá-los, mesmo ainda num estágio. Por isso, vou concentrar nosso curso na leitura e produção de textos, que, acredito, serão do seu interesse. Mas podem também trazer textos técnicos que gostariam de ser lidos e comentados aqui em sala de aula. Nenhuma reação, nem uma só fisionomia que manifestasse a mais leve intenção de interagir comigo.

Distribuí, então, para a turma o texto que tinha escolhido para a aula inicial, numa tentativa de ouvir pelo menos uma voz a mim dirigida. O que não podia era perder o meu *animus docendi*. O texto, uma crônica da Cecília Meireles, se intitulava "Liberdade". Me dei conta, naquele contexto, de que o tema talvez não fosse o mais indicado... Mas apreciava tanto aquele texto da Cecília! Se não apropriado, naquele convívio inicial com o grupo, a escolha já estava feita. Não me restava outro caminho: Vamos ao texto!

Comecei com uma leitura expressiva da crônica, me socorrendo de todos os recursos retóricos possíveis. Queria mesmo valorizar ao máximo o que ia lendo, para sensibilizar a turma para o texto da Cecília. Finda a leitura, ao contrário de como costumo proceder, estimulando a turma com indagações, passei logo a tecer comentários: Observem como a autora realça a importância da liberdade em nossas vidas! É o maior bem do mundo, renunciar à liberdade é renunciar à própria condição humana... Mas, para alcançá-la estamos todos os dias expostos à morte. Os meninos, que gostam de empinar papagaios, nos lembra a cronista, se esquecem da fatalidade dos fios elétricos, e perdem a vida. Os loucos que sonhavam sair de seus pavilhões, usando a fórmula do incêndio, morreram queimados, com o mapa da liberdade nas mãos!... Não posso negar que me esforcei muito para vir a motivar a turma para a aula de Português, sem ficar lhes cobrando classificações gramaticais como objetivo de nosso curso, o que seria descabido, e até correria certos riscos de uma reação mais negativa.

A reação da turma? Houve reação? Sim. De contestação, mas houve. Muita conversa fiada aí, professor, me disse um truculento rapaz. Que liberdade temos aqui em sala de aula? Liberdade de indagar, de discordar, de ficar calado, de não estar aqui, de não executar as tarefas solicitadas por um professor... Mas aí, acabo reprovado! Cada um de nós é responsável pelo exercício de nossa liberdade, não há como fugir disso! Se você (não me sentia ainda à vontade para perguntar os nomes!) resolve atravessar uma rua arriscadamente, quem corre a ameaça de um acidente só pode ser você. Meu esforço, naquela aula inicial, foi de argumentar contra as infantilidades existenciais que alguns alunos escancaravam. O texto da Cecília, tão propício a comentários sobre recursos da língua utilizados na construção do sentido, ficou esquecido. Me pareceu, é esta a memória que guardo, que a turma queria mesmo é não deixar que nada ali, naquele espaço, viesse a ser organizado, construído. A opção era pelo caos, jamais pelo cosmo. Nas aulas seguintes, duas por semana, o clima se manteve, praticamente, o mesmo. Apenas, já conhecia um ou outro pelo nome, e já se dirigiam a mim. O professor de Português se limitava a trocar ideias sobre os temas dos textos lidos em sala. Consegui interessá-los sobre a escrita de pequenos relatórios, frequentes nas atividades do curso deles. Gestos de delicadeza foram apenas fortuitos, no correr de todo o ano...

Cumprido o meu contrato com a escola, não me interessei por renová-lo, pois já estava também vivendo outras experiências pedagógicas. Mas não deixei de refletir sobre a minha atuação naquela escola. Me faltou, claro, maior traquejo docente, a escola falhava, e muito, na sua relação com os alunos; o ensino de Português, no curso técnico, longe estava, naquela afastada época, de sequer ser pensado como algo que necessitava de programação e objetivos próprios. Em suma, não era apenas, como caso isolado, naquela turma, com seu professor de Português e com seus alunos, uns vinte e poucos, que o ensino se mostrava improdutivo. O problema era bem mais geral, passava por falta de esclarecimento das autoridades de ensino, de professores e alunos. O aspecto humanístico não pode ser nunca deixado de lado em qualquer forma de atividade educacional. Mas como proceder? Depois de alguns anos, tive vontade de voltar a uma turma de escola técnica, por me sentir, então, mais preparado para exercer o magistério da língua nesta modalidade de ensino. Mas o tempo não perdoa, ele não para nem retroage. Me ficou, no entanto, a consciência de que, na minha vida profissional, nem sempre me mostrei e me mostraria preparado para exercer certas funções. Os alunos, como fui sendo levado a vê-los? Sentia-os como uns adolescentes com os hormônios à flor da pele, sem terem uma noção mais precisa do que seria um curso técnico, sem se verem minimamente motivados para aulas de certas disciplinas e, ainda, com um professor carente de uma visão mais madura de sua função e da própria vida. Daí, em parte, concluo, a má vontade e até alguma hostilidade de vários deles.

A beleza, dádiva dos deuses

Desde cedo me encantei com as belezas naturais. Ainda mais numa cidade como a de São Sebastião do Rio de Janeiro, onde sempre vivi. A começar pelas árvores, sim, pelas árvores, que sempre me fascinaram, muitas delas: seus verdes de tons diversos, suas arquiteturas, com os galhos a formarem desenhos inesperados, a altivez de tantas, o aconchego de outras... Talvez, tenha passado, desde criança, a observá-las mais porque sempre morei em apartamento quando ficava numa janela de namoro com as árvores da casa ao lado. Cheguei, em certa época, a me apaixonar por uma mangueira. Coisa séria! A vida atual na metrópole, no entanto, não nos permite contemplá-las em sua exuberância de formatos e matizes, a não ser em raras situações, como no trajeto pelo Aterro do Flamengo. Mesmo então, pensamentos vários nos dispersam a atenção. Preocupações obsessivas! Como, antigamente, me seduziam também os canteiros, espaçosos e bem-cuidados, de casas antigas, que desapareceram da cidade! Hábito permitido por um tipo de vida com tempo para a contemplação das belezas do dia a dia, ao alcance de qualquer transeunte. Hoje, é mais fácil encontrá-las em quiosques simpáticos espalhados pela cidade, em vasos, bem-dispostas, para serem ofertadas a alguém querido. Neles, há rosas, margaridas, lírios, orquídeas, begônias, hortênsias, e outras menos conhecidas, com nome a aprender.

Paisagens há, nesta cidade, que exibe até uma floresta, não muito conhecida, que estão desde muito, todo o mundo sabe, a deslumbrar, cartões-postais de um mundo paradisíaco, contemplável por gente de toda estirpe: a princesinha do mar, com sua curva, dádiva dos deuses, a nos embevecer sempre; a visão da Lagoa Rodrigo de Freitas, a nos presentear, de repente, na saída do longo túnel, com um presépio amplo de luz e de exaltação à magia da vida, espelho d'água que perpassa paz e amplidão; o vislumbre da Urca, pequena e preciosa joia, num canto recatado da Baía de Guanabara... Mas, que tempo nos sobra a tantos de nós, ainda que morando perto, para olhar, vez por outra, o mar? Que vida, afinal, estamos levando para desfrutar, pelo menos uma vez por dia, a bela paisagem que, para alguns, é descortinada de sua própria janela? Sem falar do tempo, que parece perdido, de olhar as estrelas, o pôr do sol... Este, é verdade, reúne, no verão, muita gente, no Arpoador, para aplaudi-lo com pura emoção. A Cidade Maravilhosa não deixou de ser maravilhosa, é só dar uma subidinha ao Corcovado ou ao Pão de Açúcar e de lá contemplá-la, com a alma em festa. "O Rio continua lindo." Apenas, seus moradores, parece, vão tendo seu dia a dia cada vez mais carentes de tempo para olharem as suas belezas, cantadas pelo mundo afora. Vai-se até a praia, mas não se vê o mar, rodeia-se a Lagoa Rodrigo de Freitas, mas não se vê a Lagoa... Os arranha-céus alinhados estarão contribuindo também para acimentar o nosso olhar para estas dádivas caídas do céu? Não bastasse termos que nos desdobrar em seres plurais, com todas estas funções sociais que a vida moderna nos impinge, não bastasse a agitação neurótica das cidades, com suas ruas e avenidas apinhadas de gente, atropelada por seu trânsito desumano, assim como seus shoppings, templos do consumismo, a fervilharem de pessoas a se desencontrarem em suas ânsias de compradores à procura do melhor preço para o objeto cobiçado; não bastasse ainda, e sobretudo, a luta pela manutenção do emprego, ou por um melhor, ou por um, qualquer que ele seja. Até que ponto, e eis o ponto, muitos pesquisadores vêm se indagando, o homem de uma metrópole está perdendo o encanto pela natureza, mesmo a natureza da Cidade Maravilhosa? Numa coluna diária de um jornal, muito lida, seu responsável está, frequentemente, exibindo fotos de ipês e de flamboyants, com um comentário de como a gente nem tem tempo para admirar estes tesouros escondidos.

Ouço muitas pessoas que declaram adorar viver em contato com a natureza. Mas, para tanto, costumam se refugiar em praias e montanhas interioranas, distantes da agitação maior. Assim, o olhar das metrópoles se vai descolando da beleza dádiva dos deuses. Uma grande perda, um empobrecimento para a humana gente urbana. Neste ponto, um texto do Rubem Alves não sai da minha lembrança: "Quem é possuído por ela entra em êxtase: cessa o riso, cessa o choro, o pensamento para, a fala emudece." Era assim que se sentia o Criador, ao contemplar, ao final de cada dia de trabalho, o resultado de sua obra: "Está muito bom! Do jeito como deveria ser! Nada a ser modificado! Amém!"

A vida das grandes cidades está nos encaminhando, realmente, para a perda deste estado de êxtase, para este empobrecimento, que nos impedirá de nos tornarmos "criaturas aladas", que "desapareçam no azul do céu, onde moram os deuses, os anjos e os pássaros"? Força estranha essa, mas avassaladora, a usurpar parte essencial da vida de cada um de nós, em que a "Alma come beleza".

A professora e o seu desencanto

Ontem, eu me encontrei com a Lygia, numa palestra. Logo que a vi, fui sentar ao seu lado. A sala não estava cheia. Também àquela hora... Estava eu ali mais por curiosidade, para conhecer pessoalmente a professora da UNICAMP. Muita vivacidade, certo carisma mesmo. Mas não deu para concordar com várias de suas reflexões. Curioso que, ao final da sua fala, uma aluna do mestrado se aproximou de mim e disse: Brilhante, não é, professor, embora eu não tenha entendido quase nada! Muito hermético, completou. Sinal dos tempos? Não me esqueci da Lygia. De jeito nenhum. Depois de cumprimentarmos a palestrante, fomos ao papo e ao chope ali perto.

Minha amiga, ainda jovem, mas já com alguma experiência no ensino da língua, era uma pessoa muito responsável, dedicada ao magistério, preocupada com os rumos da escola pública, sensível, leitora assídua de textos literários. Após certa conversa sobre nós, a vida e suas dificuldades, eis que o ensino de Português, por que nutríamos um interesse comum, vem à tona. De início, Lygia parecia meio travada, pouco à vontade, mas foi se soltando, quando percebeu a minha receptividade, com palavras e com gestos, ao que ia dizendo. Em suma, que me mostrava aberto ao papo que ela iniciara.

Começou se queixando das condições de trabalho, dos salários revoltantes... Afinal, nenhuma novidade no discurso de qualquer professor. Aos poucos foi dirigindo a conversa para o que realmente era sua preocupação: Você está sempre falando ou escrevendo que, no ensino da língua, o fundamental é levar os alunos à prática dela e não se concentrar em classificações sobre ela. Sim, respondi. Eu também acho, mas é tão difícil levar isto adiante sistematicamente! O peso da tradição, com sua atenção voltada para tais classificações, para o que é correto (a cultura do erro, de que você fala!), enfim, uma mecanização que já está me exasperando! Pensei até em largar o magistério! Oriento o ensino como posso, mas não como gostaria, embora não saiba exatamente como seria! É isso! O Drummond tem uma frase que me fica martelando a cabeça, porque acho que a minha prática de professora é muito cerceadora da linguagem dos meus alunos: "O purista procura cercear a língua toda vez que ela tem um acesso de vitalidade." Parece, eu sinto, às vezes, que encaminho meus alunos para uma linguagem gasta! E não é o que quero! Sou leitora assídua de textos literários! Lygia me passava desencanto, se mostrava confusa mesmo. O que lhe dizer? Não me pareceu o caso de lhe indicar uns livros. Provavelmente, já os conhecesse. Talvez, por isso, certo conflito dela, entre a tradição que lhe foi passada e postulados mais recentes defendidos pelos linguistas. Aqueles, naturalmente, já mais sedimentados, mais divulgados. Toda mudança é um desafio. Sobretudo mudar o que já vem de muito longe, e ainda enraizado.

Lygia, tomando todo o cuidado com que iria lhe dizer, o que mais a perturba não será a obrigatoriedade de transmitir, de certa maneira, aos seus alunos todos os tópicos gramaticais fixados por um programa, considerados o conteúdo do ensino desta ou daquela série? Veja bem, não estou insinuando que o programa de gramática fique de lado. Mas, não estará você já cansada com este lenga-lenga de definir, classificar e passar exercícios, com base no estudo da palavra e da frase fora de um contexto? Lygia, eu a conheço bem, sensível como é, apaixonada pela arte, como um ensino assim, tão reducionista, cerceador, engaiolado, pode satisfazer a você? Qual o espaço para os acessos de vitalidade da língua, de que fala o Drummond? E não se julgue você um caso isolado. Muito longe disso. Me sinto muito incompetente, leio as coisas, até gosto, chego a me entusiasmar mesmo, mas, ao tentar reorientar minha prática... Não saio da rotina! Também, nas escolas, fico muito sozinha, nenhum colega quer discutir nada (dizem que ganham pouco!), aí me calo. Você fala em prática da linguagem, porém, não vejo professor de outras disciplinas ter esta preocupação de avaliar a escrita dos seus alunos. Ora, será que nelas os textos não apresentam problemas de toda ordem? Então, me sinto mais sozinha ainda.

Sei bem destes problemas, Lygia. Você tem toda a razão! Nos cabe, então, apenas mudar o que nos é viável. Mas, voltemos à prática da linguagem e à gramática. É o que quero, foi logo me dizendo, em tom meio aflitivo. Tenho de dar vozes verbais! Acabo naqueles surrados exercícios de sempre: passe para a voz passiva, ou para a voz ativa! Sujeito, objeto direto, agente da passiva, verbo auxiliar... E daí? Posso chamar isto de prática da linguagem? Sim, isto já é prática da linguagem, embora uma prática que o ensino mecaniza. Como mostrar que este tópico da gramática tem sua importância, na leitura ou na produção de um texto? Se é que tem! Sorri, ante certa impaciência, compreensível, de Lygia. Seu esforço, sua vontade de sair de certas rotinas escolares, puxa!, já era mais que meritório! Sabia da seriedade desta minha amiga. De sua inteireza. De sua responsabilidade.

Neste caso concreto das vozes verbais, pode partir de exemplos. Em "André quebrou o prato", empregado em um texto, que pode ser do próprio aluno, pergunte aos alunos, contrastando com a estrutura "O prato foi quebrado por André": Por que quem escreve optou pela primeira frase? Que quis ele valorizar? E na segunda? Não fica claro que, naquela, na voz ativa, o interesse é representar a situação vivida na perspectiva da ação e do agente que a realiza? Já nesta, na voz passiva, a opção de sentido já não foi pelo paciente e pela perspectiva do que se faz e não de quem faz? Não acha você que em "Quebraram o prato", ficará mais fácil os alunos passarem a perceber, então, que se está valorizando apenas a ação, deixando o agente sem determinação? Naturalmente, que você se utilizará de uma linguagem pedagógica mais adequada do que a minha. Já encontrei textos em que as ocorrências desta última estrutura são frequentes. Qual foi a intenção de sentido que o autor quis passar? Fácil, não? Não nomear o agente, por alguma razão! Qual?

Ao te falar estas coisas, Lygia, me lembrei de uma comparação muito feliz de que o grande Rubem Alves se vale entre pássaros e educadores. Os mestres do voo são os pássaros. Mas se você aprisiona um pássaro em uma gaiola e pede que ele a ensine a voar, ele não saberá. Pássaros engaiolados não podem ensinar o voo. O educador também, aprisionado numa "grade", a curricular, não estará apto a ensinar os alunos a voar, porque ele mesmo não consegue voar. Só conseguirão, assim, falar da própria grade.

Lygia, você está se sentindo aprisionada pela grade curricular, procure sair, gradativamente, da gaiola, menina, disse carinhosamente. Vida em gaiola é monótona, sem liberdade, sem maiores desafios. Natural que se sinta exasperada, sem paciência mais, entregue a esta rotina de gaiola. Os pássaros, depois de certo tempo, não têm mais condições de viver em liberdade. Não será isto o que acontece com colegas nossos após muitos anos de prisão na gaiola, ou melhor, na grade curricular? Você, Lygia, tem todas as condições de voar rumo à vitalidade da língua a ser passada aos seus alunos. Já a vejo em voo livre. E Drummond vai ficar feliz.

A *paisagem humana*

Na minha adolescência, comecei a ouvir de meu pai que ele era apaixonado pela paisagem humana. Já adulto, continuava a escutar o mesmo comentário. Meu pai, aliás, gostava de repetir certas frases, algumas até em latim, embora não conhecesse a língua: *virtus in medio, mens sana in corpore sano*... Certamente, por influência da Igreja, que frequentava com regularidade. De início, a tal da paisagem humana não fazia sentido para mim. Como o homem ser paisagem? Não lhe indagava, nem ele me explicava. Só o tempo iria clareando o valor da expressão, a marcar uma filosofia de vida dele. Observava suas leituras, apesar de só ter o primário no Ceará, os poucos filmes a que assistia, as conversas que gostava de manter... Lia, e relia, de forma assídua, Machado de Assis, viu várias vezes *Luzes da Ribalta*, do Chaplin, se encantava todo em conversar, muito mais como ouvinte, com um amigo, brilhante intelectual, escritor, crítico de Nelson Rodrigues, tocado pelo humor, sobre livros, escritores, amigos em comum, políticos; tinha prazer em frequentar a Livraria São José, reduto, em sua época, do encontro de romancistas e artistas famosos. No entanto, meu pai não se animava apenas com as conversas com homens de cultura mais ampla, notava eu. Às vezes, contava o gostoso de ter trocado ideias com um amigo, digamos, de poucas letras. Fulano é um homem interessante, conversa bem, tece umas observações sobre a vida que aprecio bastante; além de tudo, tem um senso de humor! Cheguei até a exagerar um pouco no meu chope. Assim, a frase, tão repetida por meu pai, ia se tornando bem compreensível para mim, e mais, a própria identidade dele se aclarava para o filho, para quem ele idealizava uma vida de intelectual, particularmente, um conhecedor da língua (era um angustiado por escrever correto!) e da nossa literatura. Não só, porém: me incutia, com seus exemplos, a importância de se tentar compreender melhor o outro. Em suma, a conversa e a leitura tinham, para ele, uma força considerável, por possibilitar a descoberta do outro, personagem de romance ou da vida.

Me lembro de uma entrevista recente do Ferreira Gullar em que ele declara com contundência: "O que me interessa é o universo humano." Eis precisamente o que pretendia proclamar o meu pai. Gosto até mais do termo paisagem, neste contexto. O poeta, na entrevista, ainda no mesmo tom veemente, confessa: "Para o outro (universo), o das galáxias, eu tô me lixando." Não me recordo de meu pai exaltando a beleza de uma flor, de uma árvore, de uma paisagem... Também nunca fui por ele incentivado a conhecer o Corcovado ou o Pão de Açúcar, onde jamais pôs os pés. Não se ligava de eu gostar de passar as férias na fazenda de um tio avô, ou de curtir uns dias em Teresópolis. Para tais passeios, ele "tava se lixando". Nosso Rubem Alves, meu pai, e o Ferreira Gullar se extasiavam é com a beleza que os homens oferecem aos deuses como dádiva. "Ela sobe da terra aos céus, como fumaça ou bolhas de sabão." Estas pessoas se mostram, muitas vezes, bons papos, ávidas pelas paisagens humanas, que somos todos nós.

Com o passar dos anos, ia me surpreendendo com o meu interesse crescente pelos mistérios da relação humana. Me inclinei pela narrativa machadiana, me apaixonei pelos filmes de Chaplin, me vi seduzido pela descoberta do outro... Enfim, me tornei, tal qual o pai, um curioso, um observador atentíssimo da paisagem humana, na singularidade de cada uma. Se nos livrarmos das bitolas ingênuas, e preconceituosas, como as do bom/mau, do letrado/iletrado, do branco/negro, entre outras, teremos um campo riquíssimo para encarar o homem, em sua rica diversidade física, cultural e ética, com suas utopias, interesses, limites, apreensões, frustrações, enfim, estaremos nos propiciando alguns encontros memoráveis com a maravilhosa paisagem humana.

O ser professor viria a me possibilitar um desafio constante: a de procurar interagir com os alunos, nem sempre tarefa fácil. Mas, não é sempre dificultoso interagir com cada ser humano? Afinal, como educadores, temos pela frente a meta ambiciosa de contribuir para nossos alunos se tornarem paisagens humanas mais interessantes, sedutoras, por que não? O certo é que meu pai ficou muito satisfeito com a minha escolha profissional, apesar de toda uma tradição jurídica na família dele, e apesar dos comentários nada favoráveis, mesmo dentro da família: morreria pobre, não lograria um prestígio social mais destacado... Para estes apesares, meu pai estava também se lixando.

Diferentemente, no entanto, dele, não morreu em mim o encantamento pelas belezas dádivas divinas: as árvores, as flores, as paisagens... Sei que estes momentos de êxtase se escassearam... A paisagem humana, nas variadas formas de convívio com ela, me arrebata muito mais. Os encontros marcados e os inesperados, as aulas, as leituras, os filmes, o teatro, a música, a pintura, a escultura... A vida do meu dia a dia. Mas, me socorrendo do meu pintor maior, Van Gogh, "Não tenho certeza de nada, mas a visão das estrelas me faz sonhar". E sonhar... É preciso!

Em conversa com um professor

Há tempos não me encontrava com o Fernando. Fomos colegas em uma escola. Ideologias distintas não impediram de ficarmos companheiros com boa convivência, nem também o fato de ele ser bem mais moço do que eu. O tempo, sempre ele!, foi nos distanciando, até o dia de nos vermos frente a frente em uma livraria. Nos abraçamos com carinho, e nos convidamos para um café na própria livraria. Um narrou para o outro a trajetória da sua vida, naquele período em que afastados estivemos. Fomos até confidentes de algumas passagens mais pessoais. Já no segundo café, eis que o ensino da língua, com suas inquietações atuais, baixou sobre nós, puxado por ele, e a conversa se tornou, digamos, mais difícil, sem, em momento algum, no entanto, descambar para a agressividade. Apenas contundência, às vezes, afinal, nós dois costumávamos ser contundentes, apaixonados, em defesa de nossas posições.

Li, me disse o Fernando, seus livros publicados nestes últimos anos. Se iniciava, assim, uma longa troca de ideias entre nós. Sua preocupação com o ensino é bem antiga, foi logo observando. Sabe, fico algo confuso, desorientado mesmo, em relação a certos pontos. Por exemplo? — lhe perguntei. Você defende mesmo que há lugar no ensino para a gramática normativa? Sim, está lá escrito, você não leu? Mas lhe reserva uma posição bem secundária, convenhamos. Sempre com restrições! Afinal, é daqueles que, atualmente, querem desvalorizar a norma culta? Que é isso, Fernando? Positivamente, andou me lendo distraído, ou o quê? Vamos tomar um uisquezinho? — me sugeriu. Pedi uma cerveja. Olha, Fernando, o professor que pretende desvalorizar a norma culta... "bom sujeito não é"! Só mesmo apelando para a letra da música. Este professor, na verdade, está se negando a contribuir para seus alunos virem a ter mais condições, um dia, de poder participar de uma vida social e cultural mais ampla. E você querer me colocar neste time? E os ataques à gramática normativa? — dando a entender que se prenunciava um debate. E eu que fui à livraria movido pelos melhores propósitos de ser uma visita de lazer, uma tarde de curtição! Fernando: O ensino da gramática normativa vem, digamos assim, limitando, com frequência, o ensino da língua. Você sabe... Aprender a língua, ou melhor, desenvolver o seu domínio, tem sido ainda, mais habitualmente, reduzido a uma questão de certo e errado. Como ampliar, deste modo, a capacidade de alguém se expressar? Aí é que está o problema para mim, mestre, termo empregado sem nenhuma ironia. Afinal, a minha idade... O falar errado, argumentou, os alunos já sabem, têm de aprender o certo! Que é isso, Fernando? Qualquer língua não é apenas o seu falar culto, não se reduz ao que as gramáticas normativas prescrevem como o que deve ser dito! Um falante culto se vale apenas, mesmo escrevendo, somente da variedade culta? Um falante culto não será justamente aquele que se utiliza da língua de acordo com a situação, de acordo com o papel social que, em cada momento, esteja exercendo? Como nós aqui? Esta situação aqui não vale, exclama, para espanto meu. Devia, pensei, ter ido mesmo no uisquinho! Com esta questão de variedade para cá, variedade para lá, como fica o ensino da gramática, então? O ensino de gramática, a que você se refere, é o da norma culta, que é tão somente norma gramatical, utilizada em certas situações bem formais, que geralmente transcendem os limites das nossas vidas privadas, pertencentes, pois, a instâncias da vida pública. A validade das regras desta gramática se aplica somente ao uso da língua nestas situações. Sei que é muito importante o domínio das regras desta variedade, para que os nossos alunos saibam utilizá-las, se vierem a viver tais situações sociais, mas, Fernando, para falar e escrever adequadamente, não se pode limitar o exercício da língua a esta variedade. Norma culta sempre? Um texto, me parece evidente, pode respeitar a norma das gramáticas e não ser comunicativamente eficiente. Não creio que o amigo vá discordar disto. Tudo vai depender da intenção do falante, da situação, do assunto, do interlocutor, do gênero, não é? Quer saber a verdade, o que acho mesmo? — confidenciou. Claro, já que começou esta conversa... Tudo ficou mais complicado no ensino atual da língua! Estudava a gramática, a normativa, passava para os meus alunos e cobrava deles. Pronto! Mas como estão eles escrevendo? — fui logo perguntando. Não sei, sou professor só de gramática. O professor de produção textual é outro! Moça, por favor, uma outra cerveja.

Tentava evitar me estressar. E, afinal, quantos colegas não pensavam como o Fernando, foi a formação que receberam, que conseguiram ter! Não sofreriam com as mesmas condições precaríssimas de trabalho do que ele? Nem mesmo usufruíam, eu sei, de autonomia pedagógica em suas salas de aula! Mas, o que me inquietava mesmo é deixar de ser delicado com o Fernando. Não ia mudar sua cabeça com o meu discurso. Muito mais importante era manter a nossa amizade, de tantos anos. Não vínhamos nos falando, mas o nosso reencontro serviu para mostrar que o laço afetivo entre nós permanecia bem atado. Não é o que mais deve contar na vida? Eu acredito no que disse a ele. Ele, por sua vez, precisava me questionar, como o fez. Não, a conversa não terminou no ponto em que parei de narrar o diálogo entre nós dois. Passei a ouvi-lo mais, no esforço de compreendê-lo melhor em suas indagações. Fiquei convicto, e alegre, por perceber que Fernando era um professor que, nos seus limites e no seu tempo, começava, por isso recorrendo a perguntas bem diretas, a ter aquela inquietude própria dos que anseiam por mudança, no caso, mudança em sua atitude como professor de Português. Toda mudança é difícil, a vida vai nos ensinando. Não pode faltar é determinação, quando se almeja de verdade a mudança. O processo é lento, mas começa com certa insatisfação, procura de respostas, alguma angústia mesmo. Marcamos outro encontro para breve, no mesmo local, certamente com menos uisquinhos e cervejas... Chegaremos já embriagados de tolerância e companheirismo.

O *depressivo* Maria

Encontro o Maria sentado em um banco de praça, jogado de qualquer jeito. Pude perceber logo que estava bem deprê, como se costuma dizer hoje. Olhar perdido, indiferente a quem passava por ele, alheio a tudo. Me sentei ao seu lado. Não se deu conta. Precisei chamá-lo pelo nome. Como vamos, Maria? Me conheceu pela voz, pois não se voltou para mim. Custou um pouco a me responder. Sabe? A vida passou a ficar meio sem sentido... Olha para mim: com esta barriga sem tamanho, com implantes espalhados pelo corpo. Implantes? — indaguei. Já nem falo dos óculos! Mas eles são implantes! Implantes dentários, aparelho de surdez (implantes sim senhor!), os tais stents, próteses nos dois joelhos! Olha, devo ter outros ainda, mas nem me lembro agora. São tantos... como você vê. Aliás, devia haver implante de memória! Este seria uma boa. Tenho uns esquecimentos que me atazanam a vida. Mas o pior mesmo, companheiro, pode crer, é que mulher não cai mais no meu pedaço! Também, com este barrigão, sim, esta careca ridícula, e tantos implantes, que mulher vai se interessar por mim? Nem eu mesmo me interesso! Aposentado, o que me resta — e quem gosta de restos? — é conversar com alguns amigos, que exibem o tempo todo as suas conquistas amorosas. E eu só ouvindo! Não dá, assim não dá! Nem me arrisco a encarar uma mulher. Pra quê? Me sinto um lixo. Fala a verdade: esta vida tem sentido? Não é coisa absurda?

Difícil ajudar o Maria, neste seu estado de mal com a vida. O que dizer a ele? Tudo o que me ocorria eram palavras protocolares, forçadas! Tive um flash da vida de Maria. Homem carismático, bonitão, envolvente, excelente papo, boa situação financeira, cercado de mulheres bonitas, apaixonadas por ele... Sujeito sortudo! Uma vida boêmia das mais intensas. Chegou a se casar algumas vezes, bem que tentou. Não teve filhos. Apenas uns parentes. E um grupo de amigos com que se encontra com regularidade, que gosta dele, mas onde não impera mais como um líder nato. Foi deixando de ser aquela voz que preponderava sobre a de todos que o ouviam atentos, meio fascinados, logo que se punha a falar, e falava quase sem parar. A partir de certo momento, era notória a sua queda física, sua vivacidade, seu entusiasmo pela vida, seu zelo por se cuidar, seu interesse mesmo pelas conversas. Se tornou calado, desligado, triste... Envelhecera muitos anos em poucos.

Maria, resolvi falar, estás armando um dramalhão! Você não tem o que reclamar da vida. Todos te admiravam, te invejavam até. Era como que nosso ídolo, o porta-voz dos nossos anseios... Achávamos que não te faltava nada. Em matéria de mulher, nem se fala! Sempre optaste, aliás, abertamente, pela concomitância. Nada de exclusividade, dizias. Não me venha agora com este "Ninguém me ama/Ninguém me quer/inguém me chama/De meu amor". Canção de fossa nunca fez seu gênero. Amigo, não sou bom conselheiro. Não consigo nem mesmo descascar uns abacaxis meus. Antigos, alguns. Os reinados têm um término. Para que querer ser sempre rei? Sei não, não sou analista, mas parece que você não aceita a condição de uma pessoa que envelheceu (ainda bem!), com os limites naturais impostos a quem vive mais. Maria passou a me olhar fixo, atento ao que lhe dizia. Parecia uma criança, a ouvir palavras que o salvariam daquele estado em que desacreditava da vida. Parei um pouco de falar. Afinal, não estava me sentindo bem naquela situação vivida num banco de praça, como que dando um puxão de orelha num adolescente. Pessoas passavam por ali, rentes à gente, o que iriam pensar? Puxa!, este homem está acabando com o outro! O olhar de Maria se inquietava com o meu silêncio, a me transmitir: continue! Continuei coisa alguma. Sou amigo dele, de longa data, amigos são para estes momentos, eu sei muito bem. Mas, o certo é que não sabia prosseguir em meu discurso. Entrava em um terreno perigoso, com possibilidade de lhe causar sei lá o quê: maior desalento, talvez. Não estava, pois, seguro de como contribuir para sua retomada da vida. Períodos existenciais difíceis estes, para sair aconselhando, muitas vezes levianamente, embora com boas intenções. Não esperando que eu fosse mais falar, quase me suplicou e, a seguir, me confessou: me ajuda, não vejo saída. A verdade é que estou apaixonadíssimo por duas belas mulheres! Mas... com esta barriga e com estes implantes! Me diga, sinceramente, a vida pode ter sentido para mim? Não é coisa absurda?

Noivo neurótico, noiva nervosa

Pelo que me contam, a relação entre professor e alunos anda muito complicada, agressiva mesmo. Sei que nem sempre. Não pretendo aqui me deter em razões de ordem social, econômica, educacional, entre outras. Quero mesmo me deter nas aulas de Português, professor e alunos insatisfeitos com o que se passa com frequência, nestas aulas, direcionadas tantas vezes para o inútil, para a decoreba, como dizem os estudantes. Para começar, impossível hoje falar do nível de um aluno de sétima ou oitava série. Uma abstração, pelo menos, garanto, no tocante ao que dele se deve esperar quanto ao domínio da língua. Até mesmo quanto ao conhecimento da nomenclatura gramatical, em que tanto parece ainda insistir o ensino do Português, uma obsessão que atravessa gerações. Se lançam noções como sujeito e predicado, desde o nível elementar, que se vão repetindo até às vésperas do vestibular. Sucesso, no entanto, nada garantido de aprendizagem. Também, para que dominar tais noções em si mesmas? Para que servem? De maneira mais direta e crua, foi o que o filho de um primo me indagou. Não entendo, me dizia ele:

Por que em "Bateram à porta", o sujeito é indeterminado, e já, em "Um desconhecido bateu à porta", não é? Apenas consegui sorrir, um sorriso desanimado. Não estava mesmo disposto a engrenar uma explicação, mostrando a diferença. Fiquei foi pensando no ensino tão desorientado e tão desinteressante que ainda se pratica por aí. Não é à toa que, numa pesquisa coordenada por uma colega de São Paulo, junto a escolas estaduais, a professora de Português, simbolizada pelo nome de uma delas, foi considerada a mais "chata". Nestes casos, me imponho logo a indagação: Como fazer o ensino do sujeito então interessante? Que se considere, por exemplo, a manchete de um jornal: "O dólar caiu". O reconhecimento e a classificação do sujeito não poderiam ser mais fáceis; portanto, em princípio, nenhum interesse para o ensino. No entanto, eis justamente um caso sugestivo para falar do sujeito e de sua função para a construção do sentido da manchete em questão. Na verdade, não foi o dólar que caiu. Então, por que não tentar explicar a intenção de quem escreveu assim? Mas o ensino prioriza ocorrências em que a classificação do sujeito não é tão fácil. Estão pensando o quê? O português é uma língua bem difícil! Como pode o aluno não ficar, ao longo do seu curso, me pergunto sempre, irritado, desmotivado, com este ensino da língua, e o seu professor não ser o mais chato de todas as disciplinas? E o pobre professor lá quer ser chato, ainda por cima o mais chato? Ele, muitas vezes, não sabe deixar de ser chato. Não lhe ocorre, por exemplo, comentar nada sobre o "dólar" como sujeito da oração estampada. Não, isto não está na gramática, no manual didático. Por isso deixa de registrar a intenção de quem escreveu de tornar o "dólar" o agente. Saber os efeitos práticos de palavras e orações no texto não animaria um pouco este ensino tão previsível, tão mecanizado, tão chato? Alunos desligados do professor o desmotivam também, o tornam também impaciente. *Noivo neurótico, noiva nervosa*?

Mesmo em cursos para professores de Português, o ambiente entre professor e seus alunos pode ficar algo tenso. Tal se dá quando o professor tenta apresentar um caminho diferente para o ensino de determinada questão. Parece que o que foge do já conhecido assusta, vai desmoronar o mundo de conhecimentos que o aluno-professor domina de muito. Julgo que já vão para o curso com um pé atrás. Estão cansados de sua rotina, entra ano, sai ano. Mas temem o novo, que, muitas vezes, nem é tão novo assim. O professor, em situações tais, acaba se estressando com estes seus alunos. Afinal, ele se pergunta, o que querem de mim? "Noivo neurótico, noiva nervosa"?

Certo semestre, primeira aula, comecei a comentar sobre o que seria o curso. Para surpresa minha, logo fui interrompido por um aluno. Deixei ele falar. Interrupção intempestiva, que seria também agressiva. Sei que o senhor é contra a gramática normativa, mas é ela que sei e é por ela que continuarei a ensinar. Espanto grande o meu! Ele sabia de posições minhas que eu não sabia! Mas eu, disse, tentando recuperar o fôlego, a condição de professor, que só, praticamente, tinha dito à turma, "Boa tarde, que o curso lhes seja proveitoso", não sou contra a gramática normativa, já até escrevi sobre isto, mas contra como ela é entendida e lecionada. O aluno replicou: Já ouvi o senhor dizer isto numa palestra, tenho até testemunhas. Primeiro contato com a turma, não conhecia ninguém, a não ser um ou outro de vista e de bermudas. Meio nocauteado, nervoso mesmo, apesar de toda a experiência acumulada, não sabendo nada de tal aluno, seu preparo e condição mental, me esforcei para por um fim naquele diálogo ríspido que se esboçava. Não sabia que tinha entrado numa delegacia, é um tal de eu acuso, testemunhas... Parece que você quer iniciar o curso falando de minhas posições ante o ensino, em suma, o que a turma deve esperar de mim... Enfim, preparou uma apresentação minha! Mas me contento com o que você já disse, agora a palavra é minha, e não quero ser interrompido. De imediato, aquele que seria meu aluno se retirou da sala e... não mais voltou para começar mesmo o curso. Turma e professor visivelmente perplexos ante a situação vivida. "Noivo neurótico, noiva nervosa"?

Pelos caminhos da beleza

Como viver sem ela? Não imagino. Como conseguir passar um dia sem ser por ela tocado, de alguma maneira? No corre-corre da vida, não nos damos conta de tanta coisa! Até da beleza, presente diante da gente, ao nosso lado. Na verdade, o que prende a nossa atenção, cada vez mais, é o imediatismo dos nossos compromissos. "O temos de." Ele nos domina. Pessoas que passam, de repente, por situações de prazer, sem sentirem que ficaram belas. Será que temos perdido o desejo de admirar e viver a beleza? Ou só a beleza institucionalizada, uma estátua, por exemplo, que pode não nos emocionar nada? O papa, recentemente eleito, disse: "A Igreja quer comunicar exatamente isso: a verdade, a bondade e a beleza." Fico aqui pensando. Aquela expectativa de uma aula ou palestra, realmente motivadoras, daquele cineminha aos sábados, da partida de futebol pela televisão, daqueles encontros marcados, sempre repetidos, da continuidade da leitura de um livro que me está encantando, daquele prato que não para de alimentar minha gula, tudo, enfim, que cria em mim um desejo forte e gostoso de continuar a viver, momentos todos muito esperados, aguardados ansiosamente, não são belos também? Por que não? Não nos nutrimos espiritualmente das expectativas prazerosas? Não, não sou contra um pouco de rotina, ela nos tira, às vezes, de alguns vazios, mas gosto mesmo de certa agenda que se acha ligada ao desejo, uma frustração, um reducionismo de vida só, ficar sem estes momentos de espera. Belos sim! Por acaso, o prazer não é belo?

Não, não posso deixar de lembrar a beleza que nos foi doada pela dádiva divina: o mar, a lagoa, o rio (a água!), as árvores e as flores, o amanhecer e o anoitecer, as estrelas, o sol, a lua e o planeta azul, as cores em seus tons matizados, a mulher e o homem, a criança...

Mas os homens também oferecem aos deuses, sentiram esta necessidade, belezas que vêm criando desde sempre. Uma maneira, talvez, de encontrarem a própria beleza que reside neles, que vai comover a do interior de outros homens, sempre de formas diversas, com emoções singulares. Criações das mais belas devem cruzar o infinito, umas caindo, outras subindo. Gentilezas entre os deuses e a humana gente.

A arte, especialmente, parece que nos ajuda a voar, voar, numa sensação maravilhosa, nossa sensibilidade nos levando a uma zona de puro êxtase. Certas artes, como a música, parecem integradas a mim, a me acompanhar sempre, com um fundo musical que escolho. Já assisti a filmes de que pouco posso falar, pois, na verdade, não assisti a eles: fiquei mesmo preso à trilha sonora o tempo todo. Não tenho maior cultura sobre esta arte. Mas ela está comigo, de todos os tempos e de todos os rincões. Por isso, sou um eclético: me emociono ante certas árias de algumas óperas, ante valsas e tangos, ante chorinhos (estes com o inconfundível cavaquinho), ante tantas e tantas canções da nossa rica MPB, com muitas letras, que são verdadeiros poemas musicados, inapagáveis, por evocarem momentos especiais da minha vida, românticas, a maioria. Guardo versos de muitas delas, desde "confete/pedacinho colorido/de saudade" (o confete era o rei dos bailes de carnaval de antanho), até o bem mais recente "Você não me ensinou a te esquecer", desde o "Alvorada lá no morro, que beleza/Ninguém chora, não há tristezas", até o "Aprendi a ser só", desde o "Eu tenho um companheiro inseparável/Na voz do meu plangente violão", até o "Você não sabe até onde eu chegaria/pra te fazer feliz" ou o "Não vou mudar/Esse caso não tem solução/Sou fera ferida/No corpo, na alma e no coração", desde o... até o... Lista infindável, na alma e no coração.

A literatura é a outra arte de minha paixão. Me acompanha também sempre, ou melhor, eu sempre à procura dela. Lá posso viver sem os textos literários? Estudo meus livros de ciência, afinal, tenho de acompanhar o que se publica, uma reputação a zelar, mas um romance, um conto, uma crônica ou um livro de poemas me é indispensável, como que sacia, com discursos bem distintos, a minha fome de leitor voraz, de um ser à procura de outras leituras deste mundo, sempre um desconhecido. Mas, no universo literário, a linguagem, a palavra me fascina por completo, dominando, às vezes, a trama narrativa, o como se diz a prevalecer, nas leituras, sobre o que se diz. Penso no Machado, no Guimarães, no Graça, no Rubem Fonseca, no João Antônio... Sem falar nos poetas. "Entre coisas e palavras — principalmente entre palavras — circulamos", Drummond não me deixa esquecer. Tenho passado boa parte da vida em estado de paixão por palavras, por suas combinações, sobretudo pelas inusitadas. "Abaixo os puristas/Todas as palavras, sobretudo os barbarismos universais/Todas as construções sobretudo as sintaxes de exceção/Todos os ritmos sobretudo os inumeráveis."

Não sei por que me chega, assim de repente, uma passagem de certo texto do Rubem Alves. Falava ele que os aprendizes pensam que a literatura se faz com coisas importantes. "O que torna a conchinha importante não é o seu tamanho, mas o fato de que alguém a cata da areia e a mostra para quem não a viu: 'Veja...' LITERATURA é mostrar conchinhas..."

Prova de Português

Rubem, um conhecido, me procura meio agitado. Afinal, resolvi fazer um concurso, foi logo me dizendo. E você sabe: tem sempre prova de Português. Vinte questões! Muito peso, não é? Preciso de sua ajuda! Relaxe, não quero que me dê aulas, de jeito nenhum! Queria apenas uma orientação sobre uns pontos do programa. Você está me pedindo indicação de livros? Não, olhe, mesmo com uma gramática, estas figuras de linguagem, por exemplo, não dá! Só os nomes que tenho de guardar, cada nome! Alguns, tudo bem: metáfora, pleonasmo... Mas mesmo com a metáfora fico inseguro. Memorizei já certos exemplos, como "coração da floresta", "chave do problema", "tempestade do meu coração"... Não é isso, não são metáforas? Sim, bons exemplos, qual a dificuldade então? Eu disse que memorizei! Mas na hora de apontar uma metáfora num texto, a coisa pega, entende? Por isso, digo para mim: Você não sabe o que é metáfora! Não consigo perceber muitas vezes a tal relação de semelhança. Se apelar para as definições, a coisa então complica ainda mais...

À medida que meu conhecido falava, e com desembaraço, reconheçamos, e com consciência da sua dificuldade, ia me lembrando de um filme visto há uns bons anos, a que cheguei a assistir duas vezes: *O carteiro e o poeta*. Neruda era o poeta. Certo dia, o carteiro, sempre muito zeloso com a correspondência do poeta, estranhou o emprego de uma expressão na fala do seu já amigo. Neruda lhe explicou, com rara simplicidade, o tal emprego. E, ao final, acrescentou: Isto é uma metáfora. O carteiro ficou encantado. Metáfora! Mais encantado ficou quando o poeta ia lhe mostrando que ele também utilizava metáforas. O nosso carteiro tinha razões de sobra para se ufanar e para passar para os habitantes daquela pequena comunidade o conhecimento adquirido. As metáforas passaram a frequentar, conscientemente, o falar de algumas pessoas da cidade. Na verdade, tudo muito simples. Se fossem indagados sobre o que é metáfora, não saberiam responder, com certeza. Diriam apenas: Quando falo assim é uma metáfora.

Que se passa na escola, me cobrava, para muitos alunos, ao concluírem já o ensino médio, não reconhecerem metáforas, ou identificarem algumas apenas, sem terem como explicá-las, compreenderem mesmo o seu mecanismo semântico? Afinal, elas não são privilégio da linguagem literária, recurso de escritores, ocorrem na linguagem corrente do dia a dia. Quer dizer, as pessoas empregam metáforas, sem saberem! No uso literário, são apenas mais elaboradas. Mas não é que o meu conhecido tinha lá suas razões quanto às dificuldades que enfrentava?

Na verdade, será que o ensino de Português não complica muitas vezes o que poderia ser passado aos alunos de maneira mais simples e eficiente? Por que partir de nomes, realmente complicados (metonímia, polissíndeto, hipérbato...), com suas respectivas definições, seguidas de exemplos, nem sempre acessíveis, em frases soltas? Por que não ir se valendo dos textos de leitura e, ante uma ou outra metáfora, chamar, de início, a atenção da turma para o emprego de uma palavra, fora do seu significado registrado nos dicionários? A seguir, perguntar aos alunos por que foi possível usar uma palavra pela outra. Por fim, o que, em geral, não se questiona, por que o autor do texto se utilizou de tal recurso de linguagem? Qual o seu propósito? Estaremos longe, assim, de certo mecanicismo que caracteriza, ainda, o ensino da língua, muito ligado a classificações automatizadas, relegando a reflexão a um papel secundário, o que só pode ser danoso à formação cognitiva e emotiva de qualquer educando. Os nomes dos recursos idiomáticos virão, naturalmente, com o tempo. É mais importante compreender bem o recurso da metáfora do que falar, inseguramente, nela! Estas figuras de linguagem são um excelente campo para ampliar o mundo imaginário dos estudantes. Eis uma questão de grande importância para a vida futura deles. Vão saber mais sobre o ser humano. Isto deveria valer sempre no ensino, que há de privilegiar a prática da linguagem sim, mas uma prática orientada, reflexiva. Em vez de o professor ficar cobrando classificações, cobrar entendimento, explicações. Estar sempre com um porquê indagativo de plantão. Pode até ser: Por que se tem aqui uma metáfora? Ou uma metonímia ou um pleonasmo? Bem diferente de "classifique as figuras de linguagem das frases abaixo". Parece que o apego aos nomes complicados daria ao ensino uma orientação mais séria, mais fundamentada, mais científica, o que é uma pura ilusão. Ao contrário: o mínimo de nomenclatura, o máximo de prática consciente da linguagem, repousa em fundamentação científica: a linguagem é uma atividade e, como toda atividade, deve ser exercitada o mais possível. Como todo ato verbal, por mais breve que seja, tem uma finalidade, devemos estar, de maneira constante, a inquirir de nossos alunos a finalidade, ou função, dos atos verbais, ouvidos ou lidos. Que pobreza, que reducionismo, levar o aluno, mecanicamente, formalmente, a reconhecer um polissíndeto ("E zumbia, e voava, e voava, e zumbia"), sem relacioná-lo a fatores como ritmo, ênfase na ideia de encadeamento..., em suma, fatores que vão nos levar a compreender a intenção do autor por ter optado por esta construção expressiva. Recordemos que o verso citado é do Machado, e os verbos presentes se reportam ao voo da "Mosca azul".

Tudo aqui dito foi passado para o Rubem, sequioso, na verdade, de aprender o que é metáfora, sequioso, na verdade mesmo, de aprender, de entender as construções da língua, de maneira que pudesse explicar, com segurança, suas ocorrências nos textos e se visse em condições de empregá-las em seus próprios textos. Claro, que viesse a se sentir, desta maneira, mais preparado para fazer uma boa prova de Português no concurso a ser prestado. Bom aluno, interessado e consciencioso, se mostrava o Rubem. Selecionei um texto e procurei trabalhar com ele três empregos de metáfora. Não, não ficou encantado como o carteiro do filme. Mas ficou mais animadinho com as explicações. Parecia uma criança! Com visível dificuldade, me olhou e me indagou, quase suplicante: Qualquer dia, me dá outra explicação? Acabei lhe dando mesmo uma série de aulas particulares! Afinal, que me custava?

Dia do Professor

Difícil saber como os professores, por este país tão extenso, estão se sentindo no dia especialmente escolhido para festejá-los. Gostaria muito de ter algumas respostas. O mais provável, penso, é que encarem esta data com sentimentos bem distintos. Da alegria à apatia, do alento ao desalento. Somando mais realizações ou frustrações. Orgulhosos da vocação ou nem tanto. O professor aposentado, não posso deixar de evocá-lo. Lembranças ainda bem presentes ou já sem maior sintonia com a data?

Penso ser consensual que a desqualificação do magistério atingiu níveis, embora num processo já denunciador, impensáveis. O professor universitário, de instituições públicas sobretudo, além de certo "status", recebe proventos menos indignos, mas, convenhamos, na base de títulos acadêmicos, obtidos com enorme sacrifício, em condições desumanas muitas vezes, e com uma exigência de produção intelectual ininterrupta e variada. Já a situação do professor não universitário se apresenta, o mais frequentemente, como revoltante, desrespeitosa mesmo. Os profissionais do magistério chegaram a merecer até a "consideração" de ter ingressos mais baratos, em certas promoções culturais. Estamos caminhando para sermos profissionais de meia-entrada?

Vejo esta desqualificação do professor inserida na realidade de uma nação que vive mergulhada, já há algum tempo, em grave crise política, social, econômica e ética. Não vai mal a escola, o ensino, vai mal a sociedade, vai mal o Estado brasileiro. Não é apenas o professor que vem sendo desvalorizado, é o homem brasileiro em seus ideais mais puros. Uma mudança educacional, que não pode estar dissociada da cultura, com a qualificação devida ao magistério, supõe a superação de problemas que exigem medidas complexas, que dependem sobretudo de uma verdadeira revolução na política brasileira, para as reformas essenciais na estrutura econômica e social do país.

O resgate do "ser docente", resgate, na verdade, de uma vocação especialíssima, num quadro tão desfavorável como o da sociedade brasileira atual, não se dará, evidentemente, pelo caminho da descrença, do desânimo, que nada constrói, constituindo-se antes em fator fortemente reacionário. Sabemos que a realidade de um país é transformável, acredito nisto, se o homem tiver a determinação para tal, porque a mudança é feita por ele, não dada por algum determinismo histórico. Este olhar crítico do homem ante uma realidade distorcida já faz parte do processo de enfrentamento da realidade. Alio-me ao pensamento de Paulo Freire, quando pondera que "o fato de que determinadas circunstâncias históricas em que se encontra o educador não lhe permitam participar mais ativamente deste ou daquele aspecto constitutivo do processo de transformação revolucionária de sua sociedade, não invalida um esforço menor em que esteja engajado, desde que este seja o esforço que lhe é historicamente viável".

O que é ser um bom professor? Muitas vezes me fizeram tal indagação. Competência, como requisito primeiro, essencial, ante o objeto de ensino e o ensino deste objeto. Mas há professores competentes, sabemos, que não são bons professores. Deve haver um ser humano, sensível, atento e paciente, por trás dessa competência (um saber, com o máximo de sabor possível, lembrando Barthes), pois só haverá prática pedagógica eficiente se for satisfatória a interação de professor e alunos. Julgo que o professor, com sua natural liderança, liderança democrática, deve ser o artífice maior no estabelecer e aprofundar uma parceria com seus alunos e entre eles, em torno de atividades comuns. Parceria marcada pelo respeito, pelo espírito de colaboração, pelo entusiasmo — condições imprescindíveis de uma sociabilidade escolar adequada. Em suma, o que deve almejar um professor formador é que ele e seus alunos gostem de estar juntos e de trabalhar juntos, caminho para um enriquecimento mútuo. Ouso dizer que os professores são agentes capazes de uma prática democrática modelar e insubstituível no processo de humanização do aluno e, portanto, da sociedade. O mundo carece de humanização!

Emocionei-me, há algum tempo, ao ler estas palavras escritas pelo Leandro Konder, em uma crônica jornalística: "Não posso conceber a ideia de não dar aulas. É a única hora em que a minha vaidade se torna incontrolável, quando percebo aquelas vinte cabecinhas concentradas e o brilho nos olhos de cada um dos alunos. É uma comunicação direta: descobrir como sintonizar na onda do meu interlocutor." A procura deste descobrir marca os bons professores, os que não perdem o entusiasmo de continuarem na sua função de despertarem consciências para a leitura do mundo e para o exercício da cidadania.

O computador

Resisti por um bom tempo a aderir ao computador. Os mistérios de um mundo novo? Logo, de uma linguagem desconhecida? Minha velha dificuldade de mexer com máquinas? Seria mais fácil para jovens, que, em pouco tempo, já se apresentavam como mestres deste mundo virtual? Falta de ânimo para me iniciar numa atividade? Certamente, tudo isto, e mais outros fatores menos conscientes...

Na universidade, morava o incômodo maior, pois me achava mais exposto a esta minha limitação. A partir de certo momento, só se falava Nele. Ficava tão aturdido, que pensei em me aposentar, ou me transferir de departamento, sei lá... Santa ingenuidade! Se a troca de departamento fosse resolver o problema! Passei até a participar menos das conversas com colegas. Só ficava ouvindo palavras estranhíssimas, que mexiam com os meus brios de professor de linguagem! Mouse, Windows, Outlook, e-mail, link, site, provedor, ícones... E mais: www, .com.br, ctrl+P... O computador aumentava, assustadoramente para mim, sua influência no meio acadêmico. Começo um processo de neurotização, de me sentir incapacitado para a vida universitária. O novo universo chegava tarde para mim, avaliava. Os colegas se falavam por e--mails. Abra seu computador em casa, para ler a mensagem que lhe deixei, era uma frase ouvida com frequência. A própria administração da universidade passava a se utilizar muito da internet. Fui me sentindo cada vez pior comigo mesmo. Tinha de recorrer a um ou outro para me preencher formulários, projetos... Surgiram as revistas eletrônicas, mas, antes, os artigos para periódicos já tinham de ser enviados por e-mail. Continuava a ser, àquela altura, um professor, digamos, à moda antiga: preparo cuidadoso de aulas, orientação de trabalhos acadêmicos e participação em bancas examinadoras. Porém, era limitado, por exemplo, na então exigida produção acadêmica diversificada: devia colaborar, mais assiduamente, em diferentes periódicos prestigiosos ("indexados!"), submetendo, previamente, meus artigos a comissões editoriais; escrever capítulos de livros ou mesmo livros, tudo sempre digitado e enviado pela internet; apresentar comunicações a eventos nacionais, que se multiplicavam pelo país, e internacionais. Em suma, a vida docente universitária se modificava intensamente, tendo o mundo virtual como base de comunicação.

A elaboração de artigos, com as novas exigências, se tornava mais espaçada, pois passei a ser, de certa maneira, dependente sempre de alguém. Me irritava, confesso, ficar ouvindo colegas tecendo considerações sobre a compra de um novo computador ou sobre um recente upgrade efetuado. Cheguei a imaginar: uma prova de informática será incluída nos concursos para o magistério, em que, naturalmente, seria reprovado, o que anos depois, mal poderia imaginar, passaria a ser exigência em quase todos os concursos. O certo, certíssimo, é que me bateu, naqueles anos que antecederam minha aposentadoria, um forte sentimento de incompetência como professor universitário, e ainda por cima de linguagem! Valer-me do computador era, de fato, algo que me assustava, pelas razões acima levantadas. Razões pessoais, talvez merecedoras de uma terapia de choque... Outro choque? A maioria dos meus colegas já me parecia com pleno domínio dos recursos da internet. Se comprasiam mesmo, natural, com seus mais recentes avanços no reino virtual.

Chegado certo momento, resolvi me aposentar. Já era tempo. Afinal, 41 anos na universidade!, 11 a mais do que se exigia, então, no serviço público! O computador? Não, não foi por causa dele que me despedi do meu meio acadêmico. Na verdade, pode ter contribuído um pouquinho, mais como consequência das mudanças que se processavam no magistério superior. Afinal, tudo tem seu tempo, ouço dizer de sempre. Me sentia não cansado, mas desgastado! Mudar de clima, deixar de me cobrar! Aposentado sim, nunca poderia me ver é como inativo! Isso não! Enfim em casa, não! Sempre estive nela bem presente! Apenas novos ares profissionais, de preferência ainda com o preparo cuidadoso de outras aulas e a orientação de outros trabalhos discentes. Cedo, cedo, me surgiu uma outra oportunidade, no outono da vida. Com mais experiência e com outro estímulo, eis-me, uma vez mais, recomeçando. Ter desafios é sempre fonte de energia, de perseverança, de seguir na vida.

Sem cobranças maiores no novo exercício docente, e com incentivo familiar, me surpreendo me iniciando no computador. Com mais tempo e com um dia a dia mais calmo, tudo repercutia com maior naturalidade em mim... Vencidos os primeiros passos, ganho da família o meu primeiro computador. Teria, assim, mais responsabilidade: cuidar dele e ir, na base do erro do acerto, avançando pelas novas trilhas. Aliás, é o que continuo a fazer, passados alguns anos, até hoje. Não mais sou um analfabeto moderno nesta modalidade midiática, nem ainda me julgo apto a cursar uma pós-graduação... Muito longe disso! O mais importante mesmo foi a tranquilidade que alcancei, outra vez, em minha atividade profissional, por que continuo a nutrir uma bem antiga paixão! Foi o afastar-me do meu estado de espírito dos últimos anos que me propiciou a aproximação do computador, onde passo a escrever meus textos (com configuração de livros ou artigos), que saíam mais amadurecidos, pois já se encontravam estruturados em mim. Apenas sufocados! O computador me fez sentir até estimulado a escrever textos diversos dos científicos e dos pedagógicos. Novo instrumento de escrita, novos discursos, nova linguagem.

Não precisei, portanto, recorrer a nenhuma terapia de choque... A tranquilidade e a segurança são poderosas terapias! A vida está sempre a nos dizer isto, e tanta coisa!, mas parece que alimentamos certo desprezo pela leitura de suas páginas, escritas, na verdade, por todos nós. O computador integra hoje minha vida, facilitando e ampliando o meu conviver. Através de redes sociais, reencontrei companheiros, soltos por aí, refiz laços de amizade um tanto desatados, e, enfim, vim a conhecer novos amigos, em encontros que, talvez, já estivessem marcados.

Conheça outros títulos da Lexikon

Thesaurus essencial / dicionário analógico
Francisco Ferreira dos Santos Azevedo

Complemento ideal para um dicionário tradicional, o thesaurus, ou dicionário analógico, mostra a relação de palavras análogas, organizadas por áreas de proximidade. O conceito, as funções e a organização deste *Thesaurus essencial* tornam simples e rápida a busca da 'palavra ideal' para nos expressarmos. No índice geral está a lista dessas palavras com a indicação de onde se encontram as palavras análogas no corpo do dicionário, em seus vários contextos. Para o estudante, o profissional ou qualquer pessoa que queira escrever e se expressar melhor.

Português básico e essencial
Adriano da Gama Kury

Português básico e essencial é um manual para aqueles que desejam se instruir sobre as noções básicas da língua portuguesa. Nele, o professor Adriano da Gama Kury ensina as primeiras noções de sintaxe, fonética, fonologia, ortografia e morfologia, familiarizando o leitor com o registro culto da língua. O autor preparou, ainda, mais de 200 exercícios, um glossário de palavras de classificação variável ou difícil, um 'pequeno dicionário' e uma antologia com textos anotados e comentados.

Conheça outros títulos da Odisseia

Os mitos da felicidade
SONJA LYUBOMIRSKY

Em *Os mitos da felicidade*, a professora de psicologia da Universidade da Califórnia Sonja Lyubomirsky desconstrói os mitos que criamos para os momentos mais marcantes da vida, como o casamento, o nascimento dos filhos, ou a conquista do emprego tão almejado. Acreditamos que a felicidade só será alcançada quando certa conquista for feita, e que, se isso não nos tornar felizes, pode haver algo de errado conosco. Com seu olhar pragmático, Lyubomirsky faz uma abordagem realista dos momentos críticos que atravessamos, e mostra que devemos manter a mente aberta para enxergarmos além do caos.

Sua meditação
3.299 mantras, dicas, citações e koans para a paz e a serenidade
BARBARA ANN KIPFER

Para meditar, não é necessário isolar-se em viagens a montanhas ou em exaustivas peregrinações. *Sua meditação* é um guia com dicas, reflexões, koans e mantras, baseado em práticas espirituais, como zen-budismo, ioga e sufismo. Barbara Ann Kipfer mostra em *Sua meditação* como o leitor pode aproveitar os mais simples momentos do dia a dia para respirar fundo, relaxar e se encontrar consigo mesmo, e entender a importância da meditação para alcançar o equilíbrio, o bem-estar e a serenidade.

Este livro foi impresso em São Paulo, em outubro de 2013,
pela Imprensa da Fé para a Odisseia Editorial.
A fonte usada no miolo é Book Antiqua, corpo 11/14,3.
O papel de miolo é offset 75 g/m².